OLGA

BENARIO PRESTES

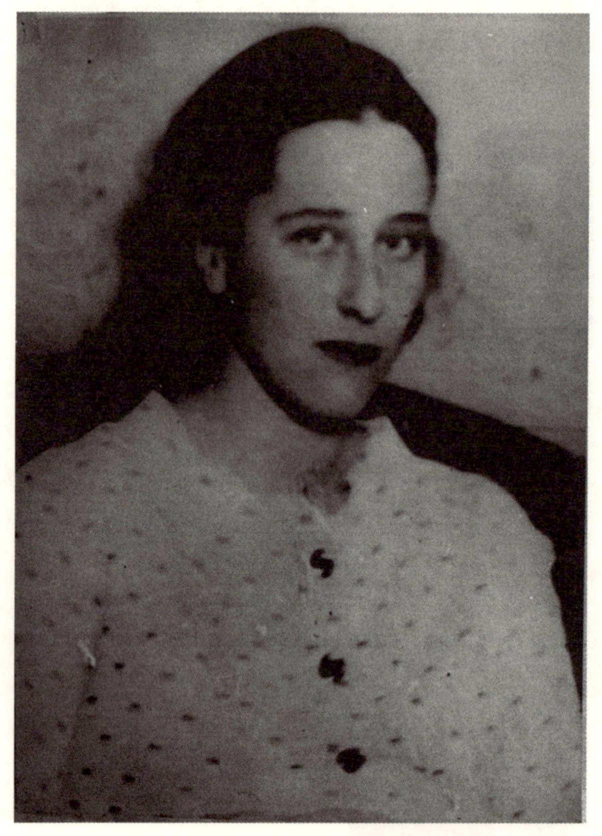

Retrato de Olga tirado por ocasião de sua prisão.
Rio de Janeiro, março de 1936.

ANITA LEOCADIA PRESTES

OLGA BENARIO PRESTES

Uma comunista nos arquivos da Gestapo

Direção editorial Ivana Jinkings
Edição Isabella Marcatti
Assistência editorial Thaisa Burani
Preparação André Albert
Revisão Clara Altenfelder
Coordenação de produção Livia Campos
Capa Ronaldo Alves
sobre composição com último retrato de Olga Benario Prestes, na sede da Gestapo, Berlim, 1939
Diagramação Antonio Kehl

Equipe de apoio: Allan Jones, Ana Yumi Kajiki, Artur Renzo, Bibiana Leme, Eduardo Marques, Elaine Ramos, Fred Indiani, Ivam Oliveira, Kim Doria, Marlene Baptista, Maurício Barbosa, Renato Soares, Thaís Barros, Tulio Candiotto

CIP-BRASIL. CATALOGAÇÃO NA PUBLICAÇÃO
SINDICATO NACIONAL DOS EDITORES DE LIVROS, RJ

P939o
Prestes, Anita Leocadia, 1936-
Olga Benario Prestes : uma comunista nos arquivos da Gestapo / Anita Leocadia Prestes. -- 1. ed. -- São Paulo : Boitempo, 2017.
il.

Apêndice
Inclui bibliografia e índice
Caderno de fotos, cronologia
ISBN: 978-85-7559-549-7

1. Prestes, Olga Benario, 1908-1942. 2. Partido Comunista Brasileiro - História. 3. Comunismo - Brasil - História - Séc. XX. 4. Nazismo. I. Título.

17-40726 CDD: 981.061
CDU: 94(81).082/.083

1ª edição: abril de 2017; 1ª reimpressão: agosto de 2017;
2ª reimpressão: setembro de 2019; 3ª reimpressão: junho de 2022

BOITEMPO
Jinkings Editores Associados Ltda.
Rua Pereira Leite, 373
05442-000 São Paulo SP
Tel.: (11) 3875-7250 / 3875-7285
editor@boitempoeditorial.com.br
boitempoeditorial.com.br | blogdaboitempo.com.br
facebook.com/boitempo | twitter.com/editoraboitempo
youtube.com/tvboitempo | instagram.com/boitempo

In memoriam
Olga Benario Prestes, minha mãe,
e todos os que tombaram
na luta contra o fascismo.

Mesmo na noite mais triste,
em tempo de servidão,
há alguém que resiste,
há sempre alguém que diz não.
(Manuel Alegre)

Se outros se tornaram traidores, eu jamais o serei.
(Olga Benario Prestes)

Sumário

Nota à edição

Este livro não teria sido possível sem a contribuição de colaboradores que traduziram, do alemão para o português, os documentos reunidos no Arquivo da Gestapo (AG). Listamos, abaixo, a relação de documentos traduzidos citados na obra e os respectivos créditos de tradução. Agradecemos a todos os tradutores a inestimável ajuda e, em particular, ao professor Álvaro Bragança pela colaboração prestada na seleção dos documentos inéditos do referido arquivo a serem traduzidos.

Pasta 163

• Documentos 118, 120, 124-39, 145-53, 155-8, 171-3, 194-205, 208, 212-3: tradução de Claudia Abeling e Tércio Redondo.

Pasta 164

• Documentos 5-13, 16, 20-8, 51, 53, 55, 57, 59, 63, 65-9, 78-9, 141-4, 149-51, 169-74, 181, 184-6, 189, 191-3, 199, 205, 208, 210, 213-5, 218-20, 254-7: tradução de Vinicius M. de A. Lopes.

• Documento 32: tradução de Álvaro Bragança.

• Documentos 265-76, 287, 289-97, 317-8, 361-4, 366-8, 370-2, 378-9, 387-405, 408, 410-1, 415-6, 421-2: tradução de Rafael Chaves Santos.

• Documentos 322-5, 344-6, 352, 355-60: tradução de André Werle.

Pasta 165

- Documentos 2, 4-7, 15-6, 25-7, 32, 35, 37, 39-41, 45-6, 53-5, 58-62, 70-80, 89-90, 93-4, 96: tradução de Vitor Vieira Ferreira.

Pasta 166

- Documentos 12, 18-9, 22, 31-2, 48-50, 57-72, 74: tradução de Vitor Vieira Ferreira.

Pasta 167

- Documentos 7, 39-40, 65-7, 73-5, 77, 79-82, 105-8, 133-6, 171-2, 195: tradução de André Werle.

Pasta 168

- Documento 57: tradução de André Werle.

Pasta 169

- Documentos 61-5, 114, 116, 229-31, 264-5: tradução de Rafael Chaves Santos.
- Documentos 161-2, 217-8: tradução de Claudia Abeling e Tércio Redondo.

Pasta 170

- Documentos 4-5, 19, 30-1, 60, 80-1, 96-7, 111-2, 237: tradução de Vitor Vieira Ferreira.
- Documentos 50, 75-6, 118-9, 121-2, 141, 143, 148-50, 153, 162-3, 172-3, 191, 201, 204-5, 241: tradução de Claudia Abeling e Tércio Redondo.

Pasta 243

- Documentos 78-9, 81-3: tradução de André Werle.

Os seguintes documentos foram traduzidos do francês pela autora:

- Pasta 166, documento 38.
- Pasta 167, documentos 8, 13-4.

Apresentação

A descoberta de novos documentos é sempre um acontecimento feliz para o historiador, pois lhe permite completar, aprofundar e corrigir os conhecimentos sobre o tema por ele pesquisado. A biografia de Olga Benario Prestes pode agora ser revista e aperfeiçoada graças à publicação on-line de dossiês da Gestapo, a polícia secreta do Terceiro Reich alemão. Essa documentação, apreendida pelos soviéticos após a derrota da Alemanha nazista em 1945 e por eles preservada, começou a ser disponibilizada para consulta pública em abril de 2015. A digitalização do material deve ser concluída apenas em 2018, mas já é possível consultar documentos no website *Russisch-deutsches Projekt zur Digitalisierung deutscher Dokumente in den Archiven der Russischen Föderation* [Projeto russo-alemão para a digitalização de documentos alemães nos arquivos da Federação Russa][1], desenvolvido por institutos russos em parceria com a Fundação Max Weber e o Instituto Histórico Alemão em Moscou.

O acervo dos chamados "documentos-troféus" (*Trophäendokumente*) abrange cerca de 2,5 milhões de folhas que inte-

[1] Ver Arquivo da Gestapo (AG), disponível em: www.germandocsinrussia.org/ru/nodes/1-rossiysko-germanskiy-proekt-po-otsifrovke-trofeynyh-kollektsiy (site em russo) e http://rgaspi-458-9.germandocsinrussia.org/de (site em alemão).

gram 28 mil dossiês, por sua vez divididos em 50 catálogos. Entre os milhares de documentos já digitalizados, está uma pasta de oito dossiês da Gestapo – por volta de 2 mil folhas – sobre uma única pessoa: Olga Benario Prestes. Um conjunto incomparável, a começar por sua extensão. O que a Gestapo chamou de "Processo Benario" é talvez a coleção mais abrangente de documentos sobre uma única vítima do fascismo. Nas palavras de Robert Cohen, pesquisador do tema:

> Esses documentos formam – dialética incontornável – uma abrangente autoapresentação dos criminosos e das ideologias, coações, mecanismos, organismos e estruturas que dirigiam. À medida que cuidam do arquivo do "Processo Benario", dia após dia, os criminosos fazem o que não podem querer fazer: eles dão informações sobre si mesmos.[2]

Nesses dossiês relativos a Olga encontra-se registrada a correspondência por ela trocada com a família durante os quase seis anos em que ficou presa na Alemanha de Hitler. Submetida à "prisão preventiva", expediente nazista para detenção por tempo indefinido e sem instauração de processo judicial, Olga foi finalmente assassinada em abril de 1942. Dessa correspondência fazem parte numerosas cartas até agora inéditas: nove de Olga para Prestes, seu marido, e oito de Prestes para a esposa; doze de Olga para Leocadia e Lygia, respectivamente sua sogra e sua cunhada, e sete de Leocadia e Lygia para ela; três de Olga para as três irmãs de Prestes então

---

[2] Robert Cohen, *Der Vorgang Benario: die Gestapo-akte, 1936-1942* (Berlim, Berolina, 2016), p. 8. Tradução do trecho para o português de Claudia Abeling e Tércio Redondo.

residentes em Moscou e dezesseis de uma delas, Clotilde, dirigidas à cunhada[3].

Para permitir uma melhor apreciação das informações valiosas e inéditas encontradas no Arquivo da Gestapo, primeiro evocarei os principais episódios da vida de Olga anteriores a sua prisão no Brasil e a sua extradição para a Alemanha pelo governo de Getúlio Vargas.

---

[3] A correspondência inédita entre Olga e Prestes encontrada no Arquivo da Gestapo está reproduzida no Anexo I deste volume; para a correspondência anteriormente publicada, ver Anita Leocadia Prestes e Lygia Prestes (orgs.), *Anos tormentosos – Luiz Carlos Prestes: correspondência da prisão (1936-1945)*, v. 3 (Rio de Janeiro/São Paulo, Aperj/Paz e Terra, 2002).

EDIÇÃO DAS 14 HORAS

5ª O GLOBO 5ª

Terça-feira, 19 de maio de 1936

EMIGRARA' PARA O BRASIL!

Pavelich pretende fundar a colonia de "Nova Zágreb" no interior da Bahia

O croata implicado no regicidio de Marselha foi recentemente solto na Italia

Dizendo que saberá honrar o nome de Carlos Prestes

Olga Benario, na 1ª delegacia auxiliar, para ser expulsa do Brasil

Abordada pela reportagem, a companheira do antigo capitão revolucionario nada quiz declarar — "Os senhores já disseram o que eu não falei"... — Só uma afirmação: "Sou esposa legitima!"

A GRANDE CONVENÇÃO PROGRESSISTA DE NOVA IGUASSÚ

ACCLAMADO O NOME DO SR. RICARDO XAVIER DA SILVEIRA PARA CANDIDATO A PREFEITO LOCAL

A Italia mantém a accusação!

E NÃO RECONHECERA' NENHUMA RESPONSABILIDADE DOS SEIS DIPLOMATAS NO CASO DAS BALAS "DUM-DUM" INGLEZAS

DESAPPARECEU A MALA DIPLOMATICA!

Departamento Nacional do Café

COMMUNICADO N.º 6/89

Falleceu o coronel Lacerda Franco

As Apolices Pernambucanas e seu proximo sorteio

Reprodução da capa da edição de 19 de maio de 1936 do jornal *O Globo* com reportagem sobre o processo de expulsão de Olga Benario Prestes.

Olga Benario: uma jovem comunista na luta pela revolução mundial

Nascida em 1908, numa família abastada de Munique, Alemanha, Olga saiu de casa com apenas 16 anos de idade. Ao lado do jovem professor Otto Braun, seu namorado e dirigente do Partido Comunista da Alemanha (KPD), e sob a influência do ambiente revolucionário então existente em seu país, juntou-se às lutas da juventude trabalhadora no distrito "vermelho" de Neukölln, em Berlim. Membro destacado da Juventude Comunista, foi logo aceita nas fileiras do KPD. Em 1928, tornou-se conhecida pela decidida participação na libertação de Otto Braun, detido por "alta traição à pátria" na prisão de Moabit. Ambos tiveram suas cabeças postas a prêmio pelas autoridades policiais, sendo forçados a abandonar o país e fugir para Moscou.

Olga logo se tornou dirigente da Internacional Comunista da Juventude, com intensa atuação política em países europeus como Inglaterra e França, nos quais chegou a ser detida por curtos períodos. Nos períodos em Moscou, passou por formação militar e procurou aprofundar seus conhecimentos de teoria marxista-leninista. Era uma comunista convicta, disposta a fazer qualquer sacrifício na luta pela revolução mundial. No plano afetivo, terminara seu relacionamento com Otto Braun[1].

Como militante provada na luta revolucionária e na atividade clandestina do movimento comunista, no final de 1934 Olga foi convidada por Dmitri Manuilski, dirigente da Internacional Comunista (IC), a cuidar da segurança de Luiz Carlos Prestes em seu regresso ao Brasil. Recém-aceito no Partido Comunista Brasileiro (PCB), o famoso Cavaleiro da Esperança voltava para participar da luta antifascista, mas teria de atuar na clandestinidade, pois fora acusado de desertor do Exército e seria preso se chegasse legalmente a seu país. Olga aceitou sem vacilações e com entusiasmo a nova tarefa, pois ouvira falar nos feitos da Marcha da Coluna Prestes e de seu comandante, que já admirava, antes mesmo de conhecer pessoalmente.

Apresentados por Manuilski às vésperas da viagem, Prestes e Olga partiram de Moscou no dia 29 de dezembro de 1934. Deixaram a União Soviética clandestinamente, disfarçados como Pedro Fernandez, espanhol, e Olga Sinek, estudante russa, um casal endinheirado em lua de mel. Após uma viagem de mais de três meses, plena de peripécias, chegaram ao Rio de Janeiro em abril de 1935, onde fixaram residência. Durante o percurso, uma profunda compreensão mútua os deixou apaixonados um pelo outro, e, assim, tornaram-se marido e mulher de verdade[2].

---

1 Para conhecer a vida de Olga, consultar sua biografia: Fernando Morais, *Olga* (São Paulo, Alfa-Ômega, 1985).

2 Para acompanhar os detalhes dessa viagem, ver: Fernando Morais, *Olga*, cit., p. 63-5; Anita Leocadia Prestes, *Luiz Carlos Prestes: um comunista brasileiro* (São Paulo, Boitempo, 2015), p. 159-62.

Prestes fora aclamado presidente de honra da Aliança Nacional Libertadora (ANL)[3]. Mesmo clandestino, mantinha contato com antigos companheiros da Coluna, com o secretário-geral do PCB e com os membros do Bureau Sul-Americano da Internacional Comunista, então transferido para o Rio de Janeiro[4]. Olga viabilizava esses contatos de maneira a evitar a localização de Prestes pelos agentes policiais. Ela acompanhava Prestes nas reuniões políticas, mas não interferia nem nas discussões, nem nas decisões tomadas, pois essa atribuição não lhe cabia.

A convivência entre Olga e Prestes durou pouco mais de um ano. Após a derrota dos levantes antifascistas de novembro de 1935, foram presos em março de 1936 e separados para nunca mais se verem[5]. Com grandes interrupções, se corresponderam até Olga ser assassinada numa câmara de gás do campo de concentração de Bernburg, em abril de 1942. Robert Cohen, editor na Alemanha dessa correspondência, escreveu:

> Desde seu primeiro encontro em Moscou [de Prestes e Olga] até sua prisão no Rio se passaram exatos um ano, três meses e vinte e dois dias. Pouco tempo, se diria. Mas qual seria o tempo ideal para o amor? A importância de uma relação não se mede por sua duração. Se quisermos saber alguma coisa sobre o amor entre duas pessoas, não devemos indagar o que as

---

[3] Ampla frente democrática criada no Brasil no início de 1935 com o objetivo de lutar contra o fascismo, o integralismo, o imperialismo e o latifúndio. Ver Anita Leocadia Prestes, *Luiz Carlos Prestes e a Aliança Nacional Libertadora: os caminhos da luta antifascista no Brasil (1934-1935)* (Petrópolis, Vozes, 1997).

[4] Anita Leocadia Prestes, *Luiz Carlos Prestes*, cit., cap. VI e VII.

[5] Ibidem, cap. VII.

pessoas fazem do amor, mas sim o que o amor faz das pessoas. O que o amor fez de Olga Benario e Carlos Prestes descobrimos em suas cartas.[6]

Olga havia salvado a vida de Prestes no momento da prisão, interpondo-se entre ele e os policiais, que tinham ordem para matá-lo. Poucos dias depois, já na cela da Casa de Detenção da capital da República, descobriu que estava grávida. Pelas leis então em vigor no Brasil, tinha direito a permanecer no país, pois daria à luz um filho brasileiro. Entretanto, o então presidente Getúlio Vargas, junto com Filinto Müller, seu chefe de polícia, viu na possibilidade de extraditá-la para a Alemanha nazista uma maneira de torturar Luiz Carlos Prestes, cujo prestígio internacional desaconselhava que lhe fossem inflingidas as torturas físicas em geral aplicadas aos prisioneiros políticos da época. O advogado Heitor Lima impetrou *habeas corpus* em favor de Olga, que foi recusado pelos juízes de Supremo Tribunal Federal[7].

Tanto Olga quanto Prestes se negaram a fornecer quaisquer informações aos delegados de polícia que os interrogaram. Olga se recusou a declinar seus verdadeiros nome e nacionalidade, declarando chamar-se Maria Prestes. Contudo, Filinto Müller recorreu ao Itamaraty para interceder junto à Gestapo, que identificou Olga Benario, fichada desde os anos 1920 por suas "atividades subversivas". Olga negou-se, aliás, a assinar o passaporte que lhe foi concedido pelo consulado

---

[6] Robert Cohen (org.), *Olga Benario, Luiz Carlos Prestes: Die Unbeugsamen – Briefwechsel aus Gefängnis und KZ* (Göttingen, Wallstein, 2013), p. 18. Tradução do trecho para o português de Victor Hugo Klagsbrunn.

[7] Fernando Morais, *Olga*, cit., p. 197-9.

alemão no Rio de Janeiro, segundo os trâmites burocráticos então vigentes para sua extradição; esse fato era desconhecido até a abertura do Arquivo da Gestapo[8].

Também as autoridades policiais da França colaboraram com Filinto Müller. Por meio da foto e das impressões digitais da suposta Maria Prestes, enviadas pela polícia brasileira, localizaram a ficha de Erma Kruger, nome sob o qual Olga fora detida e fichada em Paris e também em Bruxelas, na Bélgica, respectivamente em julho e agosto de 1931[9].

---

8 AG, pasta 164, doc. 31-6, onde há reprodução fotográfica do passaporte; ver Anexo II, p. 122 deste volume.

9 AG, pasta 164, doc. 227, 229, 235-7, 239, 241; para a reprodução dos documentos, ver Anexo III, p. 124-6 deste volume.

ANNO XII — N.º 2047

EDIÇÃO DAS 14 HORAS

5ª O GLOBO 5ª

FUNDAÇÃO DE IRINEU MARINHO

Director-thesoureiro — HERBERT MOSES   Director-Redactor-chefe — ROBERTO MARINHO   Director-gerente — A. LEAL DA COSTA

— «O telegramma passado pelos deputados hespanhoes vem confirmar a convicção generalizada no paiz de que o movimento que se articulara para a subversão das instituições era um movimento estrangeiro e, por conseguinte, movimento contra a Nação Brasileira» — affirma ao GLOBO o Sr. Pedro Aleixo

Evas indesejaveis...

Serão mesmo expulsas do Brasil as extremistas estrangeiras

OLGA BENARIO, CARMEN GHIOLDI E AUGUSTE ELISE EWERT DEVERÃO DEIXAR O BRASIL NA PROXIMA SEMANA

Cinco dias para apresentar defesa — Um officio do 1º delegado auxiliar ao director da Casa de Detenção

Presa das chammas uma fabrica de cêra

Carmen Ghioldi

Para deporem em inquerito policial-militar

Desembarcaram em Recife dois marinheiros do "Almirante Saldanha"

PARA VERMES E ANEMIAS

PILULAS VITALIZANTES EVITAM OS VERMIFUGOS!

Cigarros — Typo Americano

Continental

Maço 1$000

CIA. SOUZA CRUZ

GRIPPE E SUAS CONSEQUENCIAS

PHYMATOSAN

AGE COM SEGURANÇA

VIDRO POPULAR 2$500

Banco do Commercio e Industria do Rio de Janeiro

4%

ATE RS. 50:000$000

RUA DA ALFANDEGA, 30

LOUÇAS

Porcellanas, metaes, aluminios, apparelhos de jantar, chá e café e estojos finos para presentes

Não comprem sem visitar as

Lojas Brasileiras

que estão fazendo LIQUIDAÇÃO por MOTIVO DE OBRAS

75 - AV. PASSOS - 104

A SENHORA

quer um bonito tecido para o inverno, BOM e BARATO?

Rua Sete, esq. Gonç. Dias

Neurobiol

Departamento Nacional do Café

COMMUNICADO N.º 6/96

TANCREDO CARNEIRO — Superintendente.

APARTAMENTOS DE LUXO

A PRECOS MODICOS

QUEIMADAS TRES PESSOAS E FERIDOS QUATRO BOMBEIROS NO INCENDIO DA TRAVESSA — DO PAÇO —

PARCIALMENTE DESTRUIDO UM PARDIEIRO DE TRES PAVIMENTOS — O INQUERITO — OUTRAS NOTAS

Cerrado tiroteio entre numeroso grupo de colonos e a policia

A villa de Antonio Prado agitada por sangrentos acontecimentos

CARTILHA DAS MÃES

Dr. Martinho da Rocha

CIGARROS

FLORIDA

Qualquer charutaria póde testemunhar a grande distribuição de cheques de 50$ e 20$

SUL AMERICA TERRESTRES, MARITIMOS E ACCIDENTES

LOÇÃO

REVEROSE de Gally

Reprodução da capa da edição de 26 de maio de 1936 do jornal *O Globo* com manchete sobre a extradição de Olga Benario Prestes, Carmen Ghioldi e Elise Ewert.

A extradição de Olga para a Alemanha nazista

No sétimo mês de gravidez, a 23 de setembro de 1936, Olga Benario Prestes foi embarcada à força no navio cargueiro alemão *La Coruña* rumo a Hamburgo. O capitão recebera ordens expressas das autoridades policiais para não parar em nenhum outro porto europeu, pois anteriormente estivadores e portuários da Espanha e da França haviam resgatado prisioneiros políticos de embarcações aportadas[1]. Com Olga era extraditada Elise Ewert, esposa do dirigente comunista alemão Arthur Ewert – ambos presos e barbaramente torturados após os levantes antifascistas de novembro de 1935[2].

O governo brasileiro justificava a extradição das duas "agitadoras comunistas" alegando sua suposta "ampla participação no levante comunista de novembro de 1935", algo que jamais foi comprovado[3]. Na farta documentação sobre

---

[1] Informes de agosto de 1936 enviados por vários consulados da Alemanha na França relatam a ação dos portuários do Havre, que exigiram o desembarque, do vapor *Bagé*, de sete prisioneiros políticos judeus poloneses e romenos. Extraditados pelo governo brasileiro, eles seriam deportados para seus países de origem. Além de seus nomes, informa-se que alguns eram comunistas. Ver AG, pasta 243, doc. 78-9, 81-3.

[2] Ver Fernando Morais, *Olga* (São Paulo, Alfa-Ômega, 1985); Anita Leocadia Prestes, *Luiz Carlos Prestes: um comunista brasileiro* (São Paulo, Boitempo, 2015), cap. VII.

[3] AG, pasta 164, doc. 5-6.

a viagem no *La Coruña*, há determinações expressas a respeito da vigilância permanente sob a qual as "duas perigosas comunistas" deveriam ser mantidas e as medidas necessárias para evitar uma possível fuga na chegada a Hamburgo. Ambas viajaram isoladas da tripulação e dos passageiros do navio. Elise tentou passar um telegrama para um jornal londrino relatando o estado de saúde precário de Olga, mas ele não foi enviado. Dois funcionários da polícia brasileira as acompanharam durante todo o percurso[4].

Após quase um mês de viagem, em condições extremamente penosas, Olga e Elise foram desembarcadas em Hamburgo no dia 18 de outubro. Na ocasião havia um aparato policial de tais proporções que o advogado francês enviado pelo Comitê Prestes – órgão com sede em Paris que coordenava a campanha mundial pela libertação dos presos políticos no Brasil e também de Olga e Elise[5] – sequer conseguiu aproximar-se do local ou obter informações a respeito das prisioneiras. No interrogatório que se seguiu ao desembarque, Olga declarou possuir cidadania brasileira, pois teria se casado com Prestes em Moscou ainda em 1932, mas não dispunha da certidão de casamento[6].

No mesmo dia, as duas prisioneiras foram conduzidas sob escolta para Berlim. Olga ficou na prisão feminina de Barnimstrasse e Elise, na detenção feminina do presídio da

---

[4] AG, pasta 164, doc. 7-13, 16, 20-3, 51, 53, 55, 57, 59.

[5] Ver Anita Leocadia Prestes, *Luiz Carlos Prestes*, cit., p. 199.

[6] AG, pasta 164, doc. 23-5. Olga declarava ter se casado com Prestes em Moscou na tentativa de ser considerada cidadã brasileira pelas autoridades da Alemanha e, dessa forma, não ficar submetida à legislação fascista desse país. Entretanto, isso não pôde ser comprovado pela ausência da certidão de casamento.

polícia. Segundo documento da Gestapo, "os administradores das prisões [*Gefängnisverwaltungen*] foram instruídos a não dar nenhum tipo de informação sobre as detidas a terceiros. Perguntas de repórteres de jornais até agora foram respondidas com negativas de nossa parte"[7].

Na chegada de Olga a Berlim, foi expedida a "ordem de recebimento da denúncia" de "prisão preventiva" sob a acusação de "conspiração e alta traição". Considerada cúmplice de Elise Ewert, foi mantida separada dela na prisão. Alegava-se que Olga Benario era "altamente suspeita de desempenhar funções para o ilegal KPD ou para o Comintern [*Kommunistische Internationale* – Internacional Comunista]" e constituía, por isso, "uma ameaça direta à segurança e à ordem pública"[8].

Na prisão, sem poder corresponder-se com a família ou amigos, Olga sempre se recusou a prestar qualquer declaração que pudesse incriminar os companheiros tanto na Alemanha quanto no Brasil[9]. A Gestapo justificava o extremo rigor com que Olga era tratada não tanto por ela ser judia, mas principalmente por ser considerada uma "comunista perigosa", mulher do líder comunista Luiz Carlos Prestes, que, por isso, jamais deveria ser posta em liberdade[10].

A 27 de novembro de 1936, na enfermaria da prisão de Barnimstrasse, nasce sua filha, Anita Leocadia*. O nome foi

---

7 AG, pasta 164, doc. 24-8, 78-9.

8 AG, pasta 163, doc. 118, 120; pasta 164, doc. 63, 65-9.

9 Ver, por exemplo, AG, pasta 164, doc. 169-74, Berlim, 21 nov. 1936.

10 Idem. Ver também, por exemplo, pasta 164, doc. 294-7, 404-5.

* A autora optou por referir-se a si mesma, no contexto dos fatos narrados, na terceira pessoa. (N. E.)

escolhido por ela em homenagem a duas mulheres fortes – Anita Garibaldi e Leocadia Prestes, sua sogra[11]. A coragem e o extraordinário controle emocional de Olga permitiram que a criança nascesse forte e saudável. A mãe, porém, sofreu complicações que a forçaram a permanecer internada nessa enfermaria durante um mês[12]. Olga solicitou às autoridades carcerárias o envio de telegrama por ela redigido ao marido, encarcerado no Brasil, e depois escreveu uma carta em que lhe comunicava o nascimento da filha, mas as duas mensagens não foram expedidas pela Gestapo[13]. O nascimento da criança permaneceu desconhecido da família e do público durante vários meses: embora Olga tivesse tentado registrá-la como brasileira na embaixada do Brasil em Berlim, a solicitação foi recusada tanto pela Gestapo quanto pelo Itamaraty[14].

---

[11] Arquivo do STM, TSN, processo n. 1, apelação 4.899 – série A, v. 4, p. 143, "Carta de Leocadia Prestes a Luiz Carlos Prestes", Paris, 6 mar. 1937; AG, pasta 167, doc. 13-4, Berlim, 17 dez. 1936, "Carta de Olga para Prestes", Berlim, 17 dez. 1936.

[12] As condições carcerárias nessa prisão não podem ser comparadas ao horror dos campos de concentração para onde Olga foi transferida mais tarde.

[13] AG, pasta 167, doc. 8, "Telegrama de Olga para Prestes" (em francês), 28 nov. 1936; pasta 167, doc. 13-4, "Carta de Olga para Prestes" (em francês), 17 dez. 1936.

[14] AG, pasta 164, doc. 186, 189.

A Campanha Prestes

Desde a prisão de Prestes e Olga, em março de 1936, estava em curso a Campanha Prestes, liderada por Leocadia Prestes[1]. Logo após a prisão do filho e da nora, Leocadia e sua filha mais moça, Lygia, deslocaram-se de Moscou, onde desde 1931 vivia a família, para Paris, que passou a ser a sede do Comitê Prestes. Quando a extradição de Olga e Elise se tornou de conhecimento público, imediatamente a campanha se estendeu às duas prisioneiras. Para Leocadia e Lygia surgia, então, a preocupação de estabelecer contato com Olga e prestar toda a assistência possível a ela e à criança que estava para nascer. Leocadia foi três vezes a Berlim, acompanhada pela filha e por delegações de mulheres de países como a Bélgica e a Inglaterra, sem jamais conseguir permissão para ver ou falar com Olga[2].

Com a notícia da extradição de Olga e Elise, as autoridades do Terceiro Reich, inclusive o próprio Adolf Hitler, foram bombardeadas com telegramas, cartas e mensagens. Personalidades e organizações humanitárias de países

---

[1] Ver Anita Leocadia Prestes, *Campanha Prestes pela libertação dos presos políticos no Brasil (1936-1945)* (2. ed., São Paulo, Expressão Popular, 2015).

[2] Idem.

europeus e dos Estados Unidos cobravam informações sobre as prisioneiras, denunciando sua incomunicabilidade e exigindo sua libertação. Muitos desses pronunciamentos foram publicados na imprensa dos Estados Unidos, da França, da Inglaterra e de outros países[3].

Ainda no início de outubro de 1936, juristas reunidos numa conferência em Londres escreveram a Hitler exigindo a libertação de Olga e Elise assim que chegassem a Hamburgo[4]. No dia anterior ao desembarque das prisioneiras deportadas, o jornal londrino *News Chronicle* as tratava como "vítimas do fascismo"[5]. No mesmo dia, telegrama de "liberais do centro de Londres" exigia das autoridades da Alemanha tratamento humano e a libertação de Olga e Elise[6]. Poucos dias depois, a secretária-geral da seção francesa da Liga Internacional das Mães e Educadoras pela Paz dirigia-se ao embaixador do Reich em Paris, em nome de 90 mil mães e mulheres, cobrando tratamento adequado para Olga e Elise[7]. Em 29 de outubro de 1936, há o registro de que várias personalidades destacadas da França enviaram telegrama a Adolf Hitler exigindo que as duas prisioneiras fossem libertadas e conduzidas à fronteira com a França[8]. Em carta a Heinrich Himmler, chefe militar das SS entre 1929 e 1945, datada de 2 de dezembro, a presidente do Comitê de Defesa dos

---

[3] Ver AG, pasta 164, doc. 14, 17, 83, 97-8, 106, 109-10, 126, 131-3, 139-44, 147, 149, 150-1, 159, 161, 180, 196, 200, 206, 251 (textos em francês e inglês); doc. 181, 184-5, 191-3, 199, 205, 218-20, 254-7 (textos em alemão).

[4] Ver AG, pasta 164, doc. 14, Londres, 11 out. 1936.

[5] Ver AG, pasta 164, doc. 17, Londres, 17 out. 1936.

[6] Ver AG, pasta 164, doc. 83, Londres, 17 out. 1936.

[7] Ver AG, pasta 164, doc. 97-8, Berny-Rivière/Vic-sur-Aisne, 26 out. 1936.

[8] Ver AG, pasta 164, doc. 131, Paris, 29 out. 1936.

Prisioneiros Políticos francês, uma advogada do *barreau** de Paris e uma representante do grupo feminista Six-Point, de Londres, solicitam informações que lhes haviam sido prometidas a respeito do nascimento do bebê de Olga Benario Prestes[9]. Elas haviam estado em Berlim em 14 de novembro a fim de obter notícias de Olga e Elise e visitá-las, o que lhes foi terminantemente vetado, pois, na visão da SS, a divulgação de informações sobre as prisioneiras implicava deturpação e utilização dessas informações "em campanhas difamatórias na imprensa internacional contra a Alemanha"[10].

Nos Estados Unidos, a Liga Internacional de Mulheres pela Paz e a Liberdade dirigiu mensagem ao embaixador da Alemanha naquele país, exigindo a libertação de Olga e Elise e seu encaminhamento para a França, cujo governo lhes concederia asilo político[11]. A 23 de novembro de 1936, realizou-se em Nova York um ato promovido pelo Comitê Unificado pela Defesa do Povo Brasileiro, com a presença de quinhentas pessoas, em que foi aprovada mensagem dirigida a Adolf Hitler cobrando a libertação das duas mulheres injustamente deportadas pelo governo de Vargas[12]. Outros documentos poderiam ser citados, confirmando a importância da campanha mundial em solidariedade a Olga Benario Prestes e Elise Ewert[13].

---

* Divisão que reúne os advogados de uma região com permissão para atuar, semelhante às seccionais da Ordem dos Advogados do Brasil. (N. E.)

[9] Ver AG, pasta 164, doc. 161, Paris, 2 dez. 1936.

[10] Ver AG, pasta 164, doc. 141-4, 149-51, Berlim, 14 nov. 1936.

[11] Ver AG, pasta 164, doc. 206, Washington, 5 dez. 1936.

[12] Ver AG, pasta 164, doc. 196, Nova York, 23 dez. 1936.

[13] Ver Anita Leocadia Prestes, *Campanha Prestes pela libertação dos presos políticos no Brasil (1936-1945)*, cit.

Com o nascimento de Anita, a campanha alcançou maior repercussão; tratava-se agora de salvar a vida de uma criança. Olga mais tarde relataria que, segundo a Gestapo, assim que a filha fosse desmamada, seria dela separada e entregue a um orfanato nazista, onde as crianças perdiam o nome e lhes era atribuído um número[14]. Após visita à sede da Cruz Vermelha Internacional, em Genebra, Leocadia e Lygia conseguiram que a entidade intercedesse em seu auxílio. Elas então souberam do nascimento da criança, quando esta já tinha três meses de idade, e obtiveram permissão para corresponder-se com Olga[15] e enviar-lhe dinheiro, alimentos e roupas. A cada duas semanas, Leocadia e Lygia remetiam via correio postal um pacote de vinte quilos contendo alimentos e outros artigos de que ela necessitava, o que lhe permitiu continuar a amamentar a filha. O esforço de Leocadia e Lygia foi decisivo para assegurar a sobrevivência da criança e, por fim, obter sua libertação[16].

---

[14] Ver AG, pasta 167, doc. 171-2, "Carta de Olga para Leocadia", Berlim, 10 jun. 1937; AG, pasta 167, doc. 195, "Carta de Olga para Leocadia e Lygia", Berlim, 10 jul. 1937.

[15] Ver AG, pasta 164, doc. 254-6, Berlim, 23 jan. 1937. A primeira carta de Olga recebida por Leocadia e enviada ao filho foi de março de 1937, ocasião em que ele também pôde iniciar a correspondência com a família, após um ano na prisão. Ver Anita Leocadia Prestes e Lygia Prestes (orgs,), *Anos tormentosos – Luiz Carlos Prestes: correspondência da prisão (1936-1945)*, v. 3 (Rio de Janeiro/São Paulo, Aperj/Paz e Terra, 2002), p. 287.

[16] Ver Anita Leocadia Prestes, *Campanha Prestes pela libertação dos presos políticos no Brasil (1936-1945)*, cit.

Olga na prisão de Barnimstrasse

Isolada e incomunicável numa cela da prisão de Barnimstrasse mesmo após o nascimento da filha, Olga passou a ser frequentemente interrogada sobre suas atividades políticas. Nos documentos da Gestapo registrou-se que tanto Elise como Olga eram omissas quanto a suas atividades comunistas e sua atuação no Comintern, assunto que constituía "o ponto central de interesse" da polícia nazista. Em um relatório, defendia-se a suspensão de "vantagens" gozadas por ambas as prisioneiras até que elas se mostrassem dispostas a "uma ampla confissão", e que a ameaça da "retirada da filha de Olga Benario poderia contribuir para uma confissão dela". Considerava-se ainda que o alegado casamento com Luiz Carlos Prestes em Moscou seria apenas de fachada, pois na realidade ela teria sido posta à disposição de Prestes pela Internacional Comunista[1].

Em janeiro de 1937, a Gestapo registrava que era necessário esclarecer as verdadeiras atividades de Olga Benario Prestes. Como não fora apresentada certidão de casamento, alegava-se que ela não tinha cidadania brasileira. Segundo

---

[1] Ver, por exemplo, AG, pasta 163, doc. 124-39, Berlim, 27 ago. 1937; doc. 145-7, Berlim, 2 set. 1937.

o documento, enquanto Olga não fornecesse informações detalhadas a respeito dessas questões, não haveria nenhuma possibilidade de ser libertada, o que também valeria para Elise. As visitas às prisioneiras estavam proibidas, e quem chegasse do exterior com essa intenção seria expulso da Alemanha. A correspondência seria toda censurada[2], e tanto as cartas enviadas por Olga quanto as por ela recebidas teriam de ser escritas exclusivamente em alemão[3]. Uma carta de Olga para Elise, na qual ela se queixava de ter sido impedida de entregar a filha pessoalmente a Leocadia, não foi entregue por "conter inadmissíveis críticas a medidas adotadas pela Polícia Secreta do Estado"[4].

Em outro registro, declarava-se que Olga Benario Prestes era "agente do Comintern. Cidadã alemã, inimiga do Estado"; o texto acrescentava que, como seu casamento não fora comprovado, ela não teria cidadania brasileira, e que a cidadania da filha dependeria do interesse de Luiz Carlos Prestes pela criança. Reafirmava-se a censura de toda a correspondência e a proibição de visitas[5].

A importância atribuída a Olga Benario Prestes pelas autoridades do Terceiro Reich se evidencia no resumo biográfico apresentado em relatório da polícia secreta alemã ao comandante da SS, Heinrich Himmler. Informava-se que em 1933 ela esteve em Paris "provavelmente como agente do Comintern"; deve ter se casado com Luiz Carlos Prestes

---

2 AG, pasta 164, doc. 208-10, Berlim, 8 jan. 1937.

3 AG, pasta 167, doc. 77, Berlim, 12 abr. 1937; pasta 165, doc. 79-80, Berlim, 7 fev. 1938.

4 AG, pasta 165, doc. 89, Berlim, 4 fev. 1938; doc. 90, Berlim, 7 fev. 1938.

5 AG, pasta 164, doc. 213-5, Berlim, 20 jan. 1937.

em Moscou, mas a certidão não foi encontrada nem mesmo no Brasil; era cidadã do Império Alemão, "uma comunista perigosa e obstinada". O texto acrescentava que "durante o interrogatório realizado não relatou nada sobre sua atividade comunista; a continuidade de sua permanência na prisão é, por isso, necessária no interesse da segurança do Estado"[6].

Confrontada com o depoimento do antigo militante comunista Hermann Dünow, que teria relatado suas atividades no setor de inteligência do Partido Comunista da Alemanha, Olga declarou: "Se outros se tornaram traidores, eu jamais o serei". Tanto ela quanto Elise sempre se recusaram a falar sobre suas atividades no Comintern[7].

Ao mesmo tempo, crescia a mobilização da opinião pública europeia e estadunidense pela libertação de Olga, de sua filha e de Elise Ewert. Um grupo de damas da nobreza inglesa que integravam a Sociedade Religiosa dos Amigos Quaker tomou a iniciativa de criar um fundo para cobrir os cuidados e a educação de Anita. Também providenciou-se o envio de dinheiro, roupas e livros para Olga e Elise e ofereceu-se a contratação de um advogado para a defesa delas, solicitação negada pela Gestapo com a alegação de que casos de "prisão preventiva" não previam a atuação de advogados[8].

A pedido dos amigos da Inglaterra, Margaret B. Collyer, do Secretariado de Berlim da Sociedade Quaker, solicitou informações sobre Olga e sua filha e permissão para visitá-las,

---

[6] AG, pasta 164, doc. 404-5, Berlim, 28 ago. 1937.

[7] AG, pasta 163, doc. 148-9, Berlim, 14 set. 1937; doc. 150-3, Berlim 25 set. 1937; doc. 156-8, Berlim, 13 out. 1937.

[8] AG, pasta 167, doc. 39-40, "Carta de Minna Ewert (irmã de Arthur Ewert) para Olga Benario", Londres, 3 maio 1937; pasta 164, doc. 275-6, Berlim, 5 mar. 1937.

o que foi recusado com a alegação de que tanto Olga quanto Elise eram "comunistas da mais perigosa espécie"[9]. Também a viscondessa Christine Hastings, que havia recebido Leocadia e Lygia em sua casa em Londres no início da Campanha Prestes, em 1936, tratou de prestar solidariedade a Olga e Elise, arrecadando e enviando-lhes dinheiro, roupas e brinquedos para Anita[10]. Minna Ewert, irmã de Arthur Ewert e participante ativa da campanha pela libertação das duas prisioneiras, relatou a Olga que estava recebendo, em Londres, cartas de pessoas desconhecidas dos Estados Unidos que pediam informações sobre ela e a criança[11].

Durante todo o ano de 1937, esteve posta a questão do destino que seria reservado à filha de Olga. Em maio, um relatório da Gestapo afirmava que a prisioneira deveria ser "mais cordata durante os interrogatórios", o que talvez se pudesse alcançar na medida em que o futuro da filha passasse a preocupá-la. Entretanto, "por enquanto nada deve faltar a Olga e a sua filha", e a criança deveria ser alimentada adequadamente. Atendendo à solicitação da mãe, a menina poderia ser fotografada, mas o pedido de Olga para enviar a fotografia ao marido e à sogra foi negado. Mais adiante, ressaltava-se que Olga Benario era uma comunista destacada, cuja libertação

---

9 AG, pasta 167, doc. 105, Berlim, 8 abr. 1937; doc. 106, Berlim, 16 abr. 1937; doc. 107-8, Berlim, 26 abr. 1937.

10 AG, pasta 167, doc. 65-7, Berlim, 24 mar. 1937; doc. 79-81, Berlim, 2 abr. 1937; doc. 73, Paris, 25 mar. 1937; doc. 82, Berlim, 2 abr. 1937; doc. 133-6, Londres, 14 abr. 1937; Anita Leocadia Prestes, *Campanha Prestes pela libertação dos presos políticos no Brasil (1936-1945)* (2 ed., São Paulo, Expressão Popular, 2015), p. 35.

11 AG, pasta 167, doc. 39-40, "Carta de Minna Ewert (irmã de Arthur Ewert) para Olga Benario", Londres, 3 maio 1937.

estava naquele momento fora de cogitação, pois se recusava a reconhecer o trabalho político que realizava[12].

Segundo informe do Comando Superior do Exército Nazista, Olga Benario foi esclarecida quanto ao fato de se encontrar em custódia da Polícia Secreta do Estado e sobre seu provável destino:

> Quando lhe foi dito que uma separação da sua filha terá que acontecer, ela visivelmente estremeceu e, após um momento, declarou que isso estava fora de cogitação, a não ser que a criança lhe fosse tirada à força. Pediu ainda, insistentemente, que pudesse manter a criança consigo, caso tenha de permanecer em prisão preventiva.[13]

No mesmo documento, afirmava-se que a Polícia Secreta do Estado fazia questão absoluta de ser informada em detalhes sobre a atividade política de Olga Benario, e somente nessas condições seria possível julgar sua periculosidade. "Um depoimento completo e detalhado seria a condição necessária para uma declaração de neutralidade política por ela sugerida. Tal declaração somente poderia ser cogitada se houvesse a intenção de eventualmente libertá-la."[14] Adiante, registrava-se que

> à pergunta sobre quando sua filha eventualmente lhe seria retirada, foi respondido que a Polícia Secreta do Estado não tem a intenção de causar sofrimento desnecessário a mãe e filha,

---

[12] AG, pasta 164, doc. 294-7, Berlim, 1 a 8 maio 1937; ver também pasta 164, doc. 287, 289-91, Berlim, 12 a 22 mar. 1937; pasta 164, doc. 292, Berlim, 11 abr. 1937; pasta 164, doc. 293, Berlim, 7 maio 1937.

[13] AG, pasta 164, doc. 323-5, Berlim, 9 jun. 1937.

[14] Idem.

mas que existem amargas necessidades estatais em jogo. A esse propósito a opinião do médico residente será decisiva.[15]

Diante da pressão da campanha internacional pela libertação de Olga, Elise e, em particular, Anita Leocadia, a Gestapo revelou preocupação de não separar a criança da mãe antes de ser desmamada em boas condições de saúde. Por isso, permitiu-se que Olga recebesse os pacotes com gêneros alimentícios que Leocadia e Lygia Prestes lhe mandavam regularmente. Em junho de 1937, o médico da prisão considerou prematura uma eventual separação, pois a criança se alimentava exclusivamente do leite materno, e recomendou aguardar mais uns dois meses[16].

De acordo com o informe citado do Comando Superior do Exército Nazista, Olga Benario continuava sendo considerada cidadã alemã, assim como sua filha, pois, na ausência de documento que comprovasse seu casamento com Luiz Carlos Prestes, o governo brasileiro havia lhe recusado cidadania nacional. Registrava-se ainda que Olga pedira licença – que lhe foi concedida – para tomar as medidas necessárias ao esclarecimento da sua cidadania. Segundo o informe,

> ela provavelmente vai escrever nos próximos dias à embaixada da Rússia ou a Moscou, solicitando documento do casamento com Prestes em Moscou. Ela enfatiza que, desde que se tornou esposa de Prestes, não teve mais nenhuma atividade política.[17]

---

15 Idem.

16 AG, pasta 164, doc. 322, Berlim, 8 jun. 1937.

17 AG, pasta 164, doc. 294-7, Berlim, 1 a 8 maio 1937.

A questão do registro do casamento de Olga com Prestes foi tratada numa quantidade considerável de documentos do Arquivo da Gestapo. Enquanto Olga declarava que se casara com Prestes em 1932, durante a permanência do casal em Moscou, Prestes, incomunicável nos cárceres brasileiros, ignorando as declarações da companheira, afirmava que o casamento tivera lugar na França. Evidentemente, inexistia qualquer certidão de casamento, pois ambos tinham viajado ao Brasil com documentos falsos e viveram sempre na clandestinidade. Olga alimentava a esperança de que, reconhecidos o casamento e, consequentemente, sua cidadania brasileira, ela e a filha deixariam a prisão, pois não estariam submetidas à legislação fascista da Alemanha. Algo improvável, pois os documentos da Gestapo indicam que Olga e Elise jamais seriam libertadas se não fornecessem informações sobre suas atividades no Comintern[18].

Empenhada em obter de alguma maneira um documento comprobatório de seu casamento, Olga escreveu a Leocadia, em junho de 1937, para informá-la sobre sua "situação jurídica":

> Ontem fui levada à polícia secreta do Estado, onde um funcionário responsável me comunicou que não posso contar com minha libertação, pois represento um perigo para a segurança e a ordem pública.

[18] Ver, por exemplo, AG, pasta 164, doc. 387-403, Berlim, 27 ago. 1937; pasta 164, doc. 323-5, Berlim, 9 jun. 1937; AG, pasta 165, doc. 21-3, "Certidão de paternidade, ass. L. C. Prestes", Rio de Janeiro, Casa de Correção, 21 set. 1937 (texto original em português); pasta 165, doc. 25-6, Berlim, 9 out. 1937; doc. 35, Berlim, 8 out. 1937; doc. 37, Berlim, 6 dez. 1937; pasta 167, doc. 7, Berlim, 7 dez. 1936.

Como provavelmente não há um local em que eu possa permanecer com a criança durante muito tempo, eu deveria me preparar para uma separação da pequena e estar preparada para num futuro distante, depois de uma série de interrogatórios, ser transferida para um campo de concentração. Muito provavelmente não haverá dificuldades, do ponto de vista institucional, para que você fique com a criança.

Em relação à minha objeção de que, por meio do casamento com Carlos, eu teria perdido a cidadania alemã e fora enviada injustamente como prisioneira política para a Alemanha, recebi a seguinte resposta: para os funcionários alemães eu sou simplesmente Olga Benario. O fato de você me reconhecer como nora para eles é somente uma questão familiar. *Se eu não estiver em condições de fornecer a certidão de casamento, continuarei a ser vista como solteira perante os funcionários alemães.*

Querida mãe, você pode ver que a obtenção desse documento é de grande significado para o futuro meu e da filha. Por isso eu te peço, se for possível, tomar providências para conseguir uma cópia da certidão do meu casamento com Carlos no cartório de registro civil. Em geral, seria ótimo de sua parte me informar sobre seus esforços nesse sentido. Não posso imaginar que não haja possibilidade de evitar uma quebra dessa amplitude das normas internacionais, como foi o meu caso.

Somente hoje te escrevo a respeito, porque temia que cartas com tal teor fossem retidas pelas autoridades. Já que me foi garantido o contrário, toco hoje nesse assunto.

No que se refere à possibilidade de manter a pequena Anita comigo na prisão, sei de outras presas às quais o médico permite *uma permanência até o nono ou décimo mês de vida.*

> Querida mãe, não é do nosso feitio ficar se lamentando, mas realmente não sei como poderei suportar me separar da pequena. Querer roubar a mãe de uma pessoa tão pequena é horrível demais.
>
> Não fique aborrecida por eu hoje não escrever mais, mas estou muito triste [...].[19]

Leocadia e Lygia fizeram grandes esforços para conseguir a certidão solicitada por Olga, sem obter êxito. Por intermédio de suas irmãs, Lygia enviara aos responsáveis pela Campanha Prestes em Moscou uma carta em que explicava a importância de tal documento para Olga e a filha e informava que, seguindo a declaração de Prestes de que o casamento teria se dado na França, tentaram consegui-lo nesse país. Entretanto, nas municipalidades francesas, os livros de registro eram encerrados e lacrados ao final de cada ano. Considerando que a certidão em questão deveria ser datada de antes de março de 1935, quando Prestes e Olga deixaram a França, tornara-se arriscado providenciar um documento que não estivesse registrado no livro referente àquele ano. Leocadia e Lygia aventavam nessa carta que a única solução seria a expedição de tal documento na União Soviética, pois lá não haveria controle semelhante nem risco de uma investigação[20].

Na tentativa de não ser identificada como judia, Olga chegou a solicitar ao Cartório de Berlim VIII um atestado de sua saída, ainda em 1925, da comunidade religiosa mosaica,

---

[19] AG, pasta 167, doc. 171-2, "Carta de Olga para Leocadia", Berlim, 10 jun. 1937; grifos meus.

[20] Arquivo Estatal Russo de História Social e Política (RGASPH), fundo 495, op. 197, d. 1.1, p. 17-8, "Carta de Lygia Prestes às irmãs", Paris, 6 nov. 1937, em francês.

ou seja, judaica. Pediu também que se registrasse essa saída na certidão de nascimento de Anita, na qual haviam inscrito que a mãe da criança tinha religião judaica. O atestado de que Olga Benario havia declarado, no dia 2 de abril de 1925, sua saída da "organização religiosa judaica" foi encontrado entre os documentos do Arquivo da Gestapo[21].

[21] AG, pasta 165, doc. 15-6, Berlim, 7 set. 1937; pasta 168, doc. 57, Berlim, 12 nov. 1937; pasta 164, doc. 408, 410-1, Berlim, 23 ago. 1937; doc. 415, Berlim, 10 out. 1937; doc. 416, 421, 422, Neukölln, 16 dez. 1937.

A libertação de Anita

Estreitamente relacionada à comprovação do casamento de Olga com Prestes estava a questão da paternidade de Anita, pois, na ausência de uma certidão, a Gestapo não reconhecia Leocadia como parente da neta e criava dificuldades para que, uma vez terminado o período de amamentação da criança, a avó paterna a retirasse da prisão. Logo após o nascimento da filha de Olga, a Gestapo solicitara ao consulado do Brasil informações sobre a data da prisão de Prestes e Olga, a fim de que um médico especialista pudesse avaliar a possibilidade de Prestes ser o genitor da criança[1]. A partir dessas informações, as autoridades policiais da Alemanha reconheceram a possível paternidade de Prestes, mas considerava-se necessário examinar a legislação vigente e esclarecer a existência ou não de casamento legal[2]. Segundo matéria publicada no *Frankfurter Zeitung*, o diretor do Departamento de Justiça na Comissão Imperial para o Serviço de Saúde do Povo estava investigando se o "casamento de fato" do Estado

---

1 AG, pasta 167, doc. 7, Berlim, 7 dez. 1936; pasta 164, doc. 265-70, Berlim, dez. 1936; pasta 164, doc. 271, Berlim, 20 jan. 1937.

2 AG, pasta 164, doc. 272-3, Berlim, 15 fev. 1937.

soviético poderia ser reconhecido na Alemanha. A conclusão dessa matéria era a seguinte:

> Já que o modelo bolchevista está em oposição irreconciliável com a concepção nazista, deve-se [...] pressupor que, na questão dos princípios de direito soviéticos, estes não são compatíveis nos seus procedimentos fundamentais com o sentido de direito nazista e, portanto, também com os "bons costumes" na nossa acepção. Conforme a concepção alemã, o casamento é a duradoura vida em comum de duas pessoas, na qual se edifica a Comunidade do Povo. [...] Um convívio entre homem e mulher sem esta finalidade da duradoura vida em comum não pode mais ser considerado como casamento no sentido nazista e contraria a concepção dos bons costumes. Portanto, *um casamento soviético "de fato" não pode ser reconhecido dentro da comunhão de direito alemã e deve-se também decidir se os casamentos soviéticos registrados poderiam ser reconhecidos.*[3]

Fica evidente que o casamento de Olga e Prestes não seria reconhecido pela Gestapo mesmo que se apresentasse uma certidão expedida em cartório soviético. Na realidade, a exigência de tal documentação constituía uma forma de pressionar a prisioneira a fornecer informações sobre suas atividades no Comintern.

Em julho de 1937, Leocadia viajou à Alemanha, na companhia de três senhoras inglesas, participantes da Campanha Prestes: a médica Tilnay Miles, a advogada K. Kimber e a professora Jean Donald. Pretendiam visitar Olga e Elise, conhecer Anita e procurar Eugenie Benario em Munique na tentativa de

---

[3] AG, pasta 164, doc. 274, "'Faktische' Sowietehen: Die Frage ihrer Geltung in Deutschland", *Frankfurter Zeitung*, 18 fev. 1937; grifos meus.

conseguir sua ajuda para melhorar a situação de Olga e Anita. A visita tanto a Olga quanto a Elise foi negada, não foi permitido a Leocadia ver a neta e lhes foi informado que, sem a confirmação do casamento de Olga Benario, a criança era tida como *ilegítima*, e tanto a mãe quanto a filha eram consideradas cidadãs alemãs. A Gestapo permitiu, contudo, que a delegação deixasse frutas e presentes para as presas. Interessadas em obter notícias sobre o destino da criança, as quatro senhoras foram informadas de que nada ainda estava decidido[4].

Em Munique, a mãe de Olga não recebeu Leocadia e a delegação inglesa, alegando que o destino da filha e da neta não lhe interessava. Eugenie pediu às senhoras que se retirassem imediatamente de sua residência[5]. Tanto em Berlim quanto em Munique, as quatro senhoras foram permanentemente acompanhadas e vigiadas por agentes policiais, conforme consta de diversos documentos encontrados no Arquivo da Gestapo[6].

No início de setembro de 1937, Leocadia dirigiu-se ao chefe da Polícia Secreta do Estado solicitando que a neta lhe fosse entregue, pois já se sabia que a partir dos dez meses de idade a criança seria separada da mãe. O próprio diretor da prisão de Barnimstrasse também encaminhou à chefia da Gestapo pedido de esclarecimento a respeito de quando a separação poderia ocorrer[7].

---

4 AG, pasta 164, doc. 344-6, Berlim 23 jul. 1937; doc. 352, 355-60, Berlim, jul. 1937.

5 Relato de Lygia Prestes à autora.

6 AG, pasta 164, doc. 352, 355-60, Berlim, jul. 1937; pasta 164, doc. 361-4, 366-8, 370-2, 378-9, Berlim, jul. 1937.

7 "Carta de Leocadia Prestes ao Chefe da Polícia Secreta do Estado", Paris, 2 set. 1937, AG, pasta 165, doc. 2; AG, pasta 165, doc. 4, Berlim, 17 set. 1937.

Empenhada no resgate da neta, Leocadia escreveu a Heráclito Fontoura Sobral Pinto, defensor *ex officio* de Prestes, solicitando sua ajuda para que as autoridades brasileiras permitissem que o líder comunista assinasse na prisão a declaração de paternidade. O esforço de Sobral Pinto foi decisivo para vencer enormes resistências do Itamaraty e do governo brasileiro. Uma vez registrada em cartório a declaração do pai, realizaram-se seu reconhecimento, a tradução juramentada para o alemão e o envio para a Gestapo. Esse documento possibilitou o reconhecimento legal do direito de Leocadia à guarda da neta[8].

Em informe da Polícia Secreta do Estado redigido no início de outubro de 1937, afirmava-se que, embora faltasse confirmação do casamento de Olga e Prestes, já se tinha o documento de paternidade. O texto acrescentava que Anita era *judia ou meio-judia* e, por isso, não havia interesse em sua permanência na Alemanha[9]. Em outros documentos da Gestapo, Anita Leocadia aparece como filha *ilegítima*[10].

Ao mesmo tempo, Eugenie Benario, a progenitora de Olga, fora interrogada pela polícia de Munique, onde residia. Na ocasião, declarou que desde 1926 nada sabia da filha, tida pelos familiares como desaparecida. Disse ainda não aceitar a orientação comunista de Olga, que seria uma

---

8 Ver John W. F. Dulles, *Sobral Pinto: a consciência do Brasil* (Rio de Janeiro, Nova Fronteira, 2001), p. 108-11; relato de Lygia Prestes à autora; AG, pasta 165, doc. 21-3, "Certidão de paternidade, ass. L. C. Prestes", Rio de Janeiro, Casa de Correção, 21 set. 1937 (texto original em português); AG, pasta 165, doc. 24, "Carta de Sobral Pinto ao Chefe da Polícia Secreta do Estado", Rio de Janeiro, 25 set. 1937 (texto em português).

9 AG, pasta 165, doc. 5, Berlim, 4 out. 1937.

10 AG, pasta 165, doc. 32, Berlim, 29 abr. 1937; doc. 37, Berlim, 6 dez. 1937.

"fanática", e que só retomaria qualquer contato com ela se esta desistisse do comunismo, algo em que não acreditava. Eugenie informou às autoridades policiais que não se dispunha a ajudar a filha ou a neta no caso de o pai desta ser ou ter sido comunista[11] e se recusou a assumir a guarda de Anita[12].

Em memorando, o dirigente ministerial dr. Best confirmava a decisão de permitir a Leocadia Prestes que retirasse a neta, mas determinava que a lactente passasse a ser alimentada por mamadeira, para evitar acusações futuras de que fora levada sem os devidos cuidados. Determinava-se ainda que se expedisse um atestado médico antes da entrega da criança[13]. Essas informações foram logo a seguir comunicadas ao diretor da prisão feminina de Barnimstrasse. A polícia secreta determinava também que se informasse o momento em que a criança poderia ser retirada, para evitar acusações de que isso teria sido feito de forma precipitada. Insistia-se em rigoroso exame médico antes de ela ser entregue a Leocadia Prestes[14].

Tiveram grande importância as gestões empreendidas pelo afamado jurista francês François Drujon, que, sensibilizado pela causa da libertação de mãe e filha, viajou à Alemanha para sondar a Gestapo. Contando com a colaboração do advogado alemão Heinrich Reinefeld, social-democrata e antifascista[15], recebeu autorização para ver a

---

[11] AG, pasta 164, doc. 317-8, Munique, 4 jun. 1937.

[12] AG, pasta 165, doc. 40, Berlim, 6 dez. 1937; doc. 94, Berlim, 25 jan. 1938.

[13] AG, pasta 165, doc. 6, Berlim, 15 out. 1937.

[14] AG, pasta 165, doc. 7, Berlim, 18 out. 1937.

[15] Robert Cohen, *Der Vorgang Benario: die Gestapo-akte, 1936-1942* (Berlim, Berolina, 2016), p. 27, tradução do trecho para o português de Claudia Abeling e Tércio Redondo; AG, pasta 165, doc. 55, Berlim, 20 jan. 1938; doc. 58, Berlim, 18 jan. 1938; doc. 59-62, Berlim, 24 jan. 1938.

criança no pátio da prisão na hora do banho de sol[16]. Drujon obteve a promessa das autoridades alemãs de que Anita seria entregue à avó paterna caso lhes fosse apresentado um documento oficial de paternidade de Prestes, pois, na ausência de certidão de casamento dos pais, a Gestapo não reconhecia a Leocadia o direito de reivindicar a guarda da neta. Quanto a Olga, não foi dada ao advogado qualquer esperança de possível libertação. Em memorando da Polícia Secreta do Estado, datado do início de dezembro de 1937, e encaminhado a Heinrich Himmler, registrava-se o seguinte:

> Pretende-se em breve enviar Benario – que até o momento negou firmemente todas as informações sobre seus atos comunistas, inquestionavelmente proeminentes e em nível internacional – a um campo de concentração. Deve-se até lá, portanto, ser esclarecida a questão acerca da acomodação da criança, que ainda se encontra com sua mãe. Assim, a oferta de Leocadia Prestes significa uma saída para as dificuldades daí decorrentes, considerando especialmente que a mãe de Olga Benario, residente em Munique, se recusou a ter qualquer tipo de relação com sua filha e que, portanto, ela não se coloca como uma opção para assumir a criança.[17]

A seguir, procurava-se justificar a decisão de entregar a criança à avó paterna:

> Ainda que seja de se esperar certa agitação na imprensa internacional por conta da entrega da criança a Leocadia Prestes, isto não deverá ser de maior relevância. Caso a criança tivesse

[16] AG, pasta 165, doc. 27, Berlim, 5 out. 1937; doc. 39-41, Berlim, 6 dez. 1937; pasta 163, doc. 155, Berlim, 11 out. 1937.

[17] AG, pasta 165, doc. 39-41, Berlim, 6 dez. 1937.

> sido levada a uma instituição em áreas do Reich, certamente a imprensa marrom se apropriaria do fato e o utilizaria como forma de propaganda contra a Alemanha. Portanto, contra a aceitação do pedido de Leocadia Prestes realmente não deverá existir qualquer consideração substancial.[18]

Finalmente, havia a seguinte determinação:

> De acordo com informação do Diretor da Prisão, a criança até pouco tempo ainda era alimentada pela mãe. Por isso, determinei que a alimentação da criança passasse a ser realizada através de mamadeira. A determinação foi devidamente seguida. De acordo com o médico local, a criança pode agora ser separada da mãe, não devendo haver qualquer temor de que sua filha sofra algum dano.[19]

Em outro documento da Gestapo, dirigido ao diretor da prisão de Barnimstrasse, determinava-se que a filha de Olga fosse "examinada e fotografada detalhadamente pelo médico da instituição momentos antes de ser levada" e que "os originais dos resultados dos exames, assim como uma fotografia da criança", ficassem no Departamento da Polícia Secreta do Estado. Dizia-se ainda que era necessário garantir que não houvesse "qualquer possibilidade, sob nenhuma circunstância, de o representante de Leocadia Prestes e quaisquer possíveis acompanhantes" verem ou falarem com Olga Benario[20]. Na véspera do resgate de Anita pela avó, o diretor da prisão apresentou à polícia secreta o atestado médico e uma foto da criança,

---

[18] Idem.

[19] Idem.

[20] AG, pasta 165, doc. 45-6, Berlim, 6 dez. 1937.

informando também que Olga Benario Prestes não fora avisada de que a filha seria levada no dia seguinte às 13 horas[21].

Finalmente, no dia 21 de janeiro de 1938, com catorze meses de idade, a criança foi entregue pela Gestapo à avó Leocadia e à tia Lygia, que a buscaram na prisão acompanhadas dos advogados Drujon e Reinefeld. Contudo, não obtiveram permissão para que Olga as visse ou fosse ao menos avisada do destino da filha. No Arquivo da Gestapo há um documento em que todos os movimentos de Leocadia, Lygia e Drujon, desde sua chegada a Berlim, em 16 de janeiro de 1938, até o retorno para Paris, são minuciosamente relatados pelos agentes policiais encarregados de vigiá-los, sob disfarce, em tempo integral. Leocadia e Lygia viveram horas de grande tensão; temiam que a criança lhes fosse tomada de volta, pois do documento que lhes fora fornecido constava apenas o nome *Anita Benario* – portanto, sem qualquer prova de que a criança se encontrava sob a guarda da avó paterna[22].

Após a retirada de Anita, foi apresentado a Olga um protocolo da entrega da criança. Segundo relatório policial, "Benario mostrou-se *provocadora* diante do diretor penitenciário e do curador"[23]. Enquanto isso, o diretor da prisão informava à Polícia Secreta do Estado:

> Olga Benario tinha plena ciência de que a criança, no momento com 14 meses de idade, teria de lhe ser retirada em breve.

---

[21] AG, pasta 165, doc. 53-4, Berlim, 20 jan. 1937; doc. 70, Berlim, 19 jan. 1937.

[22] AG, pasta 165, doc. 59-62, Berlim, 26 jan. 1938; doc. 71, Berlim, 25 jan. 1938; doc. 73-4; relato de Lygia Prestes à autora; passaporte de Anita Benario, Berlim, jan. 1938 (arquivo particular da autora).

[23] AG, pasta 165, doc. 71, Berlim, 25 jan. 1938.

> Não havia, no entanto, maiores razões para que lhe fossem informados, sobretudo previamente, o dia e a hora da entrega da criança. Considerando sua astúcia política e que não se trata de alguém confiável, podia-se supor que ela enviasse da prisão mensagem ao exterior nas vestimentas da criança.[24]

Preocupada em informar a Olga o destino da filha, Leocadia telegrafou à nora assim que chegou a Paris, em 22 de janeiro de 1938: "Viagem de Anita ocorreu bem beijos avó". No entanto, a mensagem só foi encaminhada pela Gestapo à destinatária no dia 25 daquele mês[25].

A imprensa de Paris registrou a chegada da filha de Prestes à cidade, possível graças ao movimento de solidariedade internacional[26]. No dia seguinte, François Drujon, o eminente advogado que atuara na libertação de Anita, promoveu uma concorrida recepção em sua residência para apresentar à comunidade francesa mobilizada pela Campanha Prestes o já "famoso bebê" que com seu empenho decisivo ajudara a salvar[27].

Indignada por não ter sido informada da retirada da filha e de sua entrega a Leocadia, Olga dirigiu carta enérgica e extraordinariamente corajosa a Reinhard Heydrich, chefe da Polícia de Segurança, à qual se subordinava a Gestapo:

> Em 21 de janeiro de 1938, me foi pedido pelo diretor da prisão, sem qualquer preparo prévio, que aprontasse minha filha, pois ela estava sendo retirada. Não me foi dada autorização

---

[24] AG, pasta 165, doc. 76, Berlim, 15 jan. 1938.
[25] AG, pasta 165, doc. 75, Berlim, 25 jan. 1938.
[26] AG, pasta 165, doc. 71, Berlim, 25 jan. 1938; doc. 72, Berlim, 27 jan. 1938.
[27] Relato de Lygia Prestes à autora.

para entregar minha filha pessoalmente à minha sogra, a senhora Leocadia Prestes. Também não pude relatar à avó os hábitos da criança.

Tal procedimento me parece injustificado e solicito o seguinte:

1. a revisão de minha prisão, visto que me encontro há cerca de dois anos encarcerada. Caso minha soltura, em concordância com os motivos por mim apresentados, seja recusada, peço:

2. transferência da prisão atual para um local próprio àqueles que se encontrem em prisão preventiva;

3. revogação do encarceramento solitário;

4. permissão para receber cartas em língua francesa, visto que, do contrário, minha sogra, que não domina a língua alemã, terá grandes dificuldades em me manter informada quanto ao desenvolvimento de minha filha;

5. autorização para visitas, sob condições a serem determinadas, de modo que eu possa ver minha filha.

Fico à espera de uma resposta.[28]

A resposta à carta de Olga, endereçada ao diretor da prisão pela Polícia Secreta do Estado, é reveladora do comportamento intolerante, violento e agressivo das autoridades do Terceiro Reich em relação a essa "comunista fanática":

> Venho por meio desta acusar o recebimento da mensagem acima mencionada e da queixa de Olga Benario, em prisão preventiva.
>
> Estou de pleno acordo com as decisões tomadas [pela prisão], foram absolutamente necessárias em função da conhecida esperteza dessa comunista fanática.

---

[28] AG, pasta 165, doc. 77-8, Berlim, 25 jan. 1938.

No que diz respeito às suas queixas, peço que lhe seja esclarecido o seguinte:

1. Há meses lhe foi informado por parte da Polícia Secreta do Estado que sua filha teria de ser retirada dentro do tempo determinado previsto. Tão somente seu destino não estava à época esclarecido. A entrega da criança à senhora Prestes significa uma grande boa vontade por parte da Polícia do Estado. A retirada da criança, portanto, não ocorreu sem seu conhecimento prévio. Não havia qualquer razão para informá-la com grande antecedência o dia desse ato. Ademais, isto teria contrariado interesses da Polícia do Estado. O mesmo se aplica à entrega da criança à senhora Prestes feita pessoalmente.

2. São recusadas a soltura e a revogação do encarceramento individual.

3. A troca de correspondência ocorrerá exclusivamente na língua alemã.

4. É recusado o pedido de autorização para receber visitas de parentes. Visto que a criança se encontra agora em Paris, estão excluídas quaisquer possibilidades e necessidades para tanto.

As queixas de Olga Benario foram consideradas improcedentes em todos os sentidos. Tendo em vista que Benario até o momento se mostrou bastante compreensiva, peço-lhe, considerando seu insolente comportamento atual, que lhe seja explicitamente esclarecido o seguinte: Benario se encontra em prisão preventiva e não em um sanatório, em virtude de não ser politicamente confiável, o que já se provou evidente. Benario terá de arcar com medidas mais rígidas e com a revogação de todos os benefícios, caso não se esforce em evitar comportar-se de modo insolente.[29]

Em carta ao marido, Olga escreveu que o período de 5 de março de 1936 (dia da prisão de ambos) a 21 de janeiro de 1938 foi o mais terrível de sua vida[30]: após a retirada de Anita, ficara vários dias sem saber do destino da filha adorada, descrita com extremado amor em suas cartas a Prestes[31].

Passados alguns dias da separação de Anita, Olga, sem saber que sua mãe se recusara a prestar qualquer tipo de ajuda à neta, resolveu lhe escrever:

Senhora Eugenie Benario,

Munique,

Querida mãe!

Talvez lhe interesse conhecer sua neta e por isso estou lhe enviando uma fotografia da pequena Anita Leocadia. Ela tem agora 14 meses de idade e foi levada a Paris no final do mês passado por minha sogra.

Quanto a mim, estou recebendo o tratamento adequado.

Com muita dedicação, sua Olga.[32]

Pelo visto, Olga alimentava a esperança de que Eugenie pudesse revelar uma atitude humana em relação à neta.

A libertação de Anita das garras do nazismo resultou indiscutivelmente da influência e da repercussão mundial

---

[29] AG, pasta 165, doc. 79-80, Berlim, 7 fev. 1938.

[30] "Carta de Olga a Prestes", 12 fev. 1938, em Anita Leocadia Prestes e Lygia Prestes (orgs.), *Anos tormentosos – Luiz Carlos Prestes: correspondência da prisão (1936-1945)*, v. 3 (Rio de Janeiro/São Paulo, Aperj/Paz e Terra, 2002), p. 425.

[31] Ibidem, p. 385-424.

[32] AG, pasta 165, doc. 93, Berlim, 4 fev. 1938.

da Campanha Prestes[33] – uma grande vitória da solidariedade internacional. Documento encontrado no Arquivo da Gestapo reproduz trecho de publicação de uma revista editada em língua alemã:

> A filha de dois anos do libertário brasileiro Carlos Prestes, que até então era mantida com sua mãe Olga Benario Prestes em uma prisão nazista, chegou a Paris. A mãe da criança se encontra ainda nas mãos da Polícia Secreta do Estado. Pela liberação da criança deve-se agradecer à campanha ocorrida em todo o mundo.[34]

---

[33] Ver Anita Leocadia Prestes, *Campanha Prestes pela libertação dos presos políticos no Brasil (1936-1945)* (2. ed., São Paulo, Expressão Popular, 2015).

[34] AG, pasta 165, doc. 96, *Rundschau*, n. 4, 27 jan. 1938.

A transferência de Olga para o campo de concentração de Lichtenburg

Em 18 de fevereiro de 1938, pouco depois da retirada de Anita, Olga foi transferida para o campo de concentração de Lichtenburg, em Prettin[1]. O campo fora instalado em um castelo renascentista que na época da invasão de Napoleão havia servido para abrigar suas tropas, tendo sido utilizado para o mesmo fim pelo Exército alemão durante a Primeira Guerra Mundial.

Para Olga, as condições de vida tornaram-se muito piores do que tinham sido em Barnimstrasse: frio, fome, castigos corporais e dificuldades maiores para comunicar-se com a família[2]. Em mensagem encaminhada pelo Departamento da Polícia Secreta do Estado ao diretor do campo de Lichtenburg, dizia-se:

---

[1] AG, pasta 166, doc. 18, Prettin, 21 fev. 1938; doc. 12, Berlim, 3 mar. 1938; Anita Leocadia Prestes e Lygia Prestes (orgs.), *Anos tormentosos – Luiz Carlos Prestes: correspondência da prisão (1936-1945)*, v. 3 (Rio de Janeiro/São Paulo, Aperj/Paz e Terra, 2002), p. 427-8.

[2] AG, pasta 166, doc. 22, Berlim, 31 mar. 1938; Sarah Helm, *Se isto é uma mulher. Dentro de Ravensbrück: o campo de concentração de Hitler para mulheres* (Lisboa, Presença, 2015), p. 38-40; Anita Leocadia Prestes e Lygia Prestes (orgs.), *Anos tormentosos*, cit., cartas de Olga para Prestes, p. 427-50.

> Peço que seja informado a Benario que não será mais permitido o envio de pacotes de alimentos por parte de seus familiares, visto não haver mais qualquer necessidade para isso. Considerando o comportamento, até o momento, de Benario, *plenamente judia e uma comunista obstinada e astuta*, não há razão para conceder-lhe qualquer benefício em relação às outras prisioneiras.[3]

A pedido de Olga, Leocadia e Lygia lhe enviavam livros e revistas. Preocupada em dar continuidade a seus estudos da língua portuguesa, Olga solicitara à sogra literatura brasileira. Entre outros livros e revistas, chegaram à sede da Gestapo o romance *Iracema*, de José de Alencar, e a revista francesa *L'Illustration*, cujo recebimento pela destinatária foi vetado pela censura policial com base nas seguintes considerações:

> O romance *Iracema – Lenda do Ceará*, escrito em língua portuguesa, assim como a revista francesa *L'Illustration*, não devem de maneira alguma ser entregues à prisioneira Olga Benario. O livro português [sic] descreve a vida de luta de um combatente brasileiro pela liberdade e difama em grande medida a forma de governo ordeira. A revista *L'Illustration* traz um artigo muito hostil a respeito da anexação da Áustria pela Alemanha.[4]

Ficam patentes o rigor e o caráter esdrúxulo e absurdo da censura a que Olga estava submetida pela Gestapo, a qual por vezes atingia também sua correspondência com a família[5].

---

[3] AG, pasta 166, doc. 19, Berlim, 25 fev. 1938; grifos meus.

[4] AG, pasta 169, doc. 63, Berlim, 5 abr. 1938; ver também pasta 169, doc. 61-2, 64-5.

[5] AG, pasta 169, doc. 114, Prettin, 31 ago. 1938; doc. 116, Berlim, 8 set. 1938.

Enquanto isso, tinha continuidade a Campanha Prestes. Em julho de 1938, a presidente da Seção Francesa da Liga Internacional de Mães e Educadoras pela Paz dirigiu-se a Heinrich Himmler, que era também chefe da Polícia Secreta do Estado da Alemanha. Ela protestava contra a decisão de privar Olga das remessas de alimentos que recebia até então, o que certamente viria a prejudicar a saúde da prisioneira[6].

Passados mais de dois anos da sua extradição para a Alemanha, a questão do reconhecimento da cidadania brasileira de Olga não avançara, e, dessa forma, permanecia submetida à legislação fascista do Terceiro Reich. Ela continuava empenhada na obtenção da certidão de casamento com Prestes, que lhe poderia assegurar esse direito. Em carta ao marido, Olga escrevia, em janeiro de 1939: "Acho incompreensível que não seja possível acertar as questões sobre minha cidadania e todo o resto relacionado a isso"[7]. Na realidade, como já foi mencionado, Leocadia e Lygia não tiveram condições de obter – fosse na França, fosse na União Soviética – um documento que substituísse a inexistente certidão de casamento[8].

Em função desse impasse, a Gestapo passou a exigir, a partir de janeiro de 1939, que a prisioneira assinasse o requerimento de mudança de seu nome, assumindo o nome judaico Sarah – exigência de uma lei de 17 de agosto de 1938 que obrigava as mulheres judias a acrescentar *Sarah*

[6] AG, pasta 166, doc. 38, Paris, 26 jul. 1938.

[7] AG, pasta 169, doc. 161-2, "Carta de Olga a Prestes", Prettin, 15 jan. 1939 (ver Anexo I, p. 90 deste volume).

[8] Ver nota 18 da seção "Olga na prisão de Barnimstrasse", p. 37 deste volume.

ao prenome e os homens, *Israel*. Olga se recusou a cumprir tal solicitação, alegando cidadania brasileira. Mas a Gestapo passou a apresentá-la com maior frequência com o nome Olga Sarah e a acrescentar à sua identificação como *comunista* a de *plenamente judia*[9], o que não só pioraria sua situação nos campos de concentração por onde passou, como também aumentaria o rigor do tratamento recebido nos interrogatórios a que foi submetida durante sua "prisão preventiva".

[9] Robert Cohen, *Der Vorgang Benario: die Gestapo-akte, 1936-1942* (Berlim, Berolina, 2016), p. 26, tradução do trecho para o português de Claudia Abeling e Tércio Redondo; AG, pasta 166, doc. 31, Prettin, 16 jan. 1939; doc. 32, Berlim, 30 jun. 1939.

Olga no campo de concentração de Ravensbrück

Em maio de 1939, Olga foi transportada com uma leva de prisioneiras para o recém-inaugurado campo de concentração de Ravensbrück, situado 80 quilômetros ao norte de Berlim[1]. Os horrores vividos por milhares de mulheres de diversos países que passaram por esse campo estão descritos em livro publicado pela jornalista inglesa Sarah Helm[2].

No mês anterior à sua transferência para Ravensbrück, Olga escrevera à sogra e à cunhada sobre sua possível partida para o México, onde Leocadia, Lygia e Anita já se encontravam desde novembro de 1938:

> Alguns dias antes do feriado da Páscoa me perguntaram se eu pretendia emigrar e para onde. Naturalmente, estou disposta a ir para qualquer lugar que me seja permitido, mas preferiria ir ao encontro de vocês, para o México. Suponho que vocês encontrariam os meios de garantir os custos da viagem. Peço-te, querida mamãe, para entrar em contato com as autoridades e realizar todas as gestões para obter a documentação para

---

[1] Ver Sarah Helm, *Se isto é uma mulher. Dentro de Ravensbrück: o campo de concentração de Hitler para mulheres* (Lisboa, Presença, 2015), p. 23, 38, 45.

[2] Idem.

> minha saída do país. Caso seja necessário, te envio ou, conforme achares, uma procuração para regularizar tudo. Além disso, obviamente, me manterás informada sobre o andamento de tudo isso. Será que o governo mexicano me concederá uma permissão de viagem? Eu evidentemente não sei quando exatamente as autoridades vão me libertar, mas suponho que as condições para isso sejam os documentos preenchidos, inclusive as passagens de navio.[3]

Esta carta de Olga foi, entretanto, retida pela Gestapo. Após a transferência da prisioneira, dizia-se, em ofício encaminhado ao diretor do novo campo de concentração:

> Benario comunica à senhora Prestes nesta carta que poderia contar com sua eventual libertação caso viesse a emigrar. Contudo, no caso da judia Olga Benario não se pretende adotar semelhante medida e também, por razões policiais, não se deve levar isso em consideração num tempo previsível. Em vista disso, peço que se devolva a carta de 27/4/1939 a Benario e que ela seja notificada de que sua libertação atualmente está fora de cogitação.
>
> O envio desta carta deve ser negado, pois com a informação nela contida de uma eventual libertação haveria uma nova ação propagandística, o surgimento de numerosos requerimentos a favor de Benario, assim como uma nova campanha difamatória dirigida contra o Império de parte da imprensa.[4]

Durante sua estada no campo de Ravensbrück, Olga foi conduzida várias vezes, incomunicável, à carceragem da

---

[3] AG, pasta 169, doc. 229-30, "Carta de Olga para Leocadia e Lygia", Prettin, 27 abr. 1939.

[4] AG, pasta 169, doc. 231, Berlim, 25 maio 1939.

chefatura de polícia de Berlim para interrogatórios[5]. Em documento policial de 25 de maio de 1939 havia a seguinte determinação:

> A judia Olga Benario encontra-se desde 18/10/36 em prisão preventiva. Durante seu último interrogatório ela não fez qualquer declaração importante. Não se pode descartar a hipótese de que agora, após a longa prisão, ela esteja disposta a fazer declarações mais abrangentes sobre seu trabalho a serviço do Comintern.
>
> Como se percebe por suas cartas, ela é muito apegada à filha, que no momento vive com a senhora Prestes no México. No caso de um depoimento sem restrições, seria possível lhe acenar com uma eventual soltura.
>
> Por essa razão, sugere-se que Benario seja interrogada novamente por um funcionário.[6]

Após alguns dias, em outro documento, uma autoridade superior da Gestapo afirmava estar de acordo com que

> Benario seja interrogada novamente por aqui num futuro próximo, até para não criar a impressão de que a Gestapo nunca lhe ofereceu a oportunidade para uma ampla confissão.
>
> No mais, ela deve ser tratada como uma agente internacional que passou pela escola moscovita e que também na Alemanha se revelou de maneira absolutamente destacada. *Uma possível extradição para o México está fora de questão.*[7]

---

[5] AG, pasta 163, doc. 173, Berlim, 17 jul. 1939.

[6] AG, pasta 163, doc. 171, Berlim, 25 maio 1939.

[7] AG, pasta 163, doc. 172, Berlim, 9 jun. 1939; grifos meus.

No final de junho de 1939, o Escritório Britânico de Controle de Passaportes, em Berlim, enviou comunicado a Olga Benario Prestes com o seguinte teor:

> Informo-lhe com toda a sinceridade que obtive a permissão para autenticar seu passaporte (ou passaportes) com vistas à entrada na Inglaterra. Solicito que compareça junto a nós com passaporte válido e/ou que nos envie o documento pelo correio com as taxas de envio pagas (46 centavos a partir de ou 54 de fora de Berlim). As taxas do visto totalizam 8,30 marcos por passaporte. Taxas não serão recolhidas no ato da entrega.[8]

Ao receber esse comunicado, o diretor do campo de Ravensbrück dirigiu-se à Polícia Secreta do Estado solicitando instruções a respeito de "como Olga Benario Prestes deveria se comportar por ocasião da sua emigração"[9]. A resposta das autoridades competentes foi taxativa:

> Está fora de questão a soltura da judia Olga Benario em prazo previsível por razões referentes à Polícia do Estado, ainda que ela tenha em mente deixar o Reich.
>
> Peço que seja explicado a Benario de forma apropriada que todos os esforços de sua parte com vistas à obtenção de um visto para entrada em um país europeu ou além-mar são despropositados e não serão tolerados. É indesejável, de igual modo, qualquer tipo de comunicação nesses termos com seus parentes por meio de cartas.[10]

---

[8] AG, pasta 166, doc. 49, Berlim, 23 jun. 1939.

[9] AG, pasta 166, doc. 48, Ravensbrück, 3 jul. 1939.

[10] AG, pasta 166, doc. 50, Berlim, 8 jul. 1939.

Era evidente que a Gestapo só concordaria com a saída de Olga caso ela se decidisse a "confessar" suas atividades comunistas. Com esse objetivo, no início de agosto de 1939, Olga é conduzida à carceragem de Berlim. Em longo depoimento de próprio punho, a prisioneira faz um relato fantasioso para despistar suas reais atividades na Juventude Comunista e no Comintern. Nele, nega qualquer atividade política durante sua estada em Moscou e reafirma o suposto casamento com Prestes nessa cidade, em 1932. Diz não mais se interessar por política e que seu único desejo seria criar a filha[11].

Diante do depoimento de Olga, as autoridades da Gestapo redigiram a seguinte observação:

> A presa preventivamente Olga Benario foi novamente interrogada aqui, conforme orientação, *sobre sua atividade no Comintern, não sendo registrados quaisquer avanços essenciais para a questão.*
>
> Com essa finalidade, ela foi transferida do campo de concentração de Ravensbrück para a chefatura de polícia de Berlim. Durante seu primeiro interrogatório, em 2/8 deste ano, levantaram-se novamente os assuntos referentes a sua atividade como agente internacional, mas ela reiterou não ter praticado qualquer ação nesse sentido. Exatamente como há 2,5 anos, quando foi interrogada pela primeira vez sobre esses assuntos, lhe foi dito que, após uma confissão minuciosa relativa a essa questão, a soltura da prisão preventiva poderia ficar mais próxima. Após longas discussões, ela afirmou, voluntariamente, querer se manifestar de próprio punho sobre o assunto, porque ao escrever conseguia se concentrar melhor. Isso lhe foi

[11] AG, pasta 163, doc. 194-203, Berlim, 5 ago. 1939.

permitido e ela o fez; conforme o texto manuscrito em anexo. As informações, entretanto, não abrangeram a descrição solicitada de sua atividade no Comintern. Embora tenha sido eleita representante da juventude feminina na presidência do Congresso da Juventude Comunista Internacional (Moscou, outono de 1928) – após a libertação de Braun –, ela sustenta não ter exercido mais qualquer outra atividade para o Comitê Executivo da Juventude. Isso é inverossímil. *Ainda hoje ela se exime de dizer a verdade. Os 2 anos e 9 meses de prisão preventiva certamente não exerceram a influência devida sobre ela.*

Durante a discussão, lhe foi dito – exatamente como antes, em formulações absolutamente compreensíveis – que o povo alemão precisa exercer seu direito de exigir dela, como cidadã alemã, uma descrição detalhada sobre seu passado político prejudicial ao interesse vital alemão. Sendo judia, ela não aceita isso, porque sabe que o comunismo, em seu princípio, é uma obra puramente judaica, maçônica.

Dessa maneira, a questão de *uma eventual perspectiva de libertação da prisão preventiva não pode mais ser ventilada até segunda ordem*. Não vale a pena gastar mais tempo com ela.

Em sua explanação, feita de próprio punho, anexa, ela disse apenas o que já havia declarado em seu interrogatório de 27/8/37.[12]

Enquanto Olga era interrogada em Berlim, Leocadia, ignorando sua real situação, dirigia-se ao diretor da Polícia Secreta nos seguintes termos:

Minha nora Olga Benario Prestes encontra-se presa na Alemanha, desde 1936, sob ordem da Polícia Política Secreta. Neste momento está no campo de concentração de Ravensbrück,

[12] AG, pasta 163, doc. 204-5, Berlim, 10 ago. 1939; grifos meus.

em Fürstenberg, Mecklenburg. Até hoje, não foi submetida a nenhum processo; sua prisão é de caráter exclusivamente *preventivo*.

Em virtude do exposto, tomo a liberdade de, respeitosamente, pedir a Vossa Excelência pela liberdade de minha nora. Ela poderia vir morar comigo no *México, cujo governo já concordou com a necessária autorização de estadia.*

Eu ficaria muito grata se Vossa Excelência tivesse a bondade de me informar as formalidades necessárias para a emigração de minha nora. De meu lado, posso assegurar que estou em condições de arcar com todos os custos dessa questão.

Gostaria ainda de lembrar a Vossa Excelência que desde janeiro de 1938 está sob minha guarda a filha de Olga Benario Prestes, minha pequena neta Anita Leocadia, que me foi confiada pelas altas autoridades da Polícia Política Secreta da Alemanha. Hoje ela está com 2 anos e 8 meses. Parece-me justo e humano que a mãe finalmente venha se juntar a sua filhinha e passe a exercer suas obrigações maternas, algo de que a pequena tanto necessita.

Tenho a esperança de que Vossa Excelência acolha meu pedido e que uma decisão seja tomada no curto prazo, movida pelo mesmo sentimento de compreensão e pela boa vontade com o qual o caso de minha neta Anita Leocadia foi tratado em janeiro de 1938.

Respeitosamente, Leocadia Prestes[13]

Embora houvesse possibilidade de asilo para Olga tanto na Inglaterra quanto no México, sua recusa a delatar

---

[13] AG, pasta 163, doc. 208, México, 4 ago. 1939; grifo do texto e grifos meus, respectivamente.

era intolerável para a Gestapo. Um ofício do representante da Polícia Secreta do Estado ao Ministério das Relações Exteriores da Alemanha apresentava a resposta que deveria ser encaminhada a Leocadia Prestes:

> Benario teve repetidas oportunidades de se manifestar sobre seu trabalho para o Comintern. Entretanto, até agora o resultado foi negativo. No caso de sua eventual libertação, seria preciso ter em conta que ela, considerada sua inteligência, certamente iria dedicar-se, no exterior, de maneira excepcional, à propaganda difamatória contra a Alemanha. Assim, por motivos policiais, ainda não posso concordar com sua libertação num futuro próximo.
>
> Não considero adequada uma pronta resposta ao pedido, visto que a carta de resposta da Polícia Política Secreta para Leocadia, que também é conhecida como antiga comunista, seria divulgada para fins de propaganda nos círculos hostis à Alemanha no México.
>
> Por essa razão, peço que se solicite à representação alemã competente no México que informe Leocadia verbalmente, de maneira adequada. Ela reside na av. Baja California, 325, apartamento 10, México, DF.[14]

Após os interrogatórios a que fora submetida em agosto de 1939, Olga, ainda encarcerada em Berlim, escrevia a Leocadia e a Lygia revelando profundo pessimismo quanto a sua situação. E acrescentava: "E isso, infelizmente, não sem razões. Não se zanguem comigo por escrever desta maneira. Porém, não há verdadeiramente nada com que me alegrar na

[14] AG, pasta 163, doc. 212-3, Berlim, 30 ago. 1939.

minha vida e o único rasgo de esperança, as cartas de vocês, há muito tempo me fazem falta"[15].

Em outra carta enviada, ainda da prisão em Berlim, duas semanas mais tarde à sogra e à cunhada, Olga escrevia:

> Permaneço o dia inteiro sentada em minha cela e, quieta, me comunico de quando em quando com Carlos e com vocês. Vocês podem imaginar como fico ansiosa e preocupada esperando o jornal diário. O único pensamento que me acalma é saber que vocês, meus queridos, estão tão longe da Europa. As coisas vêm sendo de fato bastante difíceis para mim; penso com frequência em como, de alguma forma, foi bom há três anos e meio não saber o que se colocaria diante de mim. Não sei se a coragem para levar tudo nos meus ombros teria sido suficiente. Mas não pensem que vou abaixar a cabeça. Esforço-me sempre para agir de tal modo que minha filha Anita não tenha que se envergonhar nem uma vez sequer de sua mãe. Mas dentro de mim vai ganhando força a ideia de que talvez eu nunca mais volte a ver minha filha. Cada um tem que aceitar simplesmente seu destino e eu compreendo que se trate de coisas que vão além de um simples coração de mãe cheio de saudade.[16]

Enquanto a saída de Olga da Alemanha era vetada pela Gestapo, o cônsul-geral do México em Hamburgo encaminhava a Ravensbrück o seguinte comunicado:

> Hamburgo, 31 de agosto de 1939.
>
> Senhora Olga Benario de Prestes,
>
> Ravensbrück/Mecklenburg.

---

[15] AG, pasta 169, doc. 264-5, "Cartão de Olga a Leocadia e Lygia", Berlim, 15 ago. 1939.

[16] AG, pasta 170, doc. 4-5, "Carta de Olga a Leocadia e Lygia", Berlim, 29 ago. 1939.

> Venho por meio desta solicitar que seja tomada ciência de ter sido concedida à senhora junto a este Consulado Geral *uma permissão de entrada no México*. A senhora pode, portanto, comparecer aqui entre as 9h e as 13h30 e entre as 15h e as 16h para poder apresentar seus documentos de viagem. É ainda necessário que a senhora traga seis fotografias de frente e quatro de perfil, um certificado de vacinação contra varíola que não deve ter mais do que cinco anos e um passaporte válido. A chancelaria se encontra fechada aos sábados após o meio-dia.
>
> Com a mais alta estima,
>
> Alfonso Guerra,
>
> Cônsul-geral.[17]

De posse do comunicado do Consulado Geral do México, o diretor do campo de Ravensbrück dirigiu-se imediatamente à Polícia Secreta do Estado solicitando que lhe fosse informado se a emigração de Olga para o México seria permitida e se ela poderia tratar dos papéis necessários para sua emigração a partir do próprio campo[18]. Na resposta encaminhada a Ravensbrück, reafirmava-se a decisão da Polícia Secreta do Estado de considerar indesejável a emigração de Olga Benario "em virtude da complicada situação atual" e solicitava-se que "isto seja informado a Benario de modo apropriado". Acrescentava-se que naquele momento não seria possível uma viagem ao México[19].

---

[17] AG, pasta 170, doc. 19, Hamburgo, 31 ago. 1939; grifos meus.

[18] AG, pasta 170, doc. 30, Ravensbrück, 1º out. 1939.

[19] AG, pasta 170, doc. 31, Berlim, 7 out. 1939. A Segunda Guerra Mundial havia sido deflagrada a 1º de setembro de 1939.

Leocadia e Lygia persistiam nos esforços para assegurar a viagem de Olga para o país onde se encontravam. Em fevereiro de 1940, chegava a Ravensbrück mensagem do Banco Germânico da América do Sul dirigida a Olga Benario informando a transferência de 450 dólares da conta de Leocadia Prestes para o custeio da viagem Gênova-Nova York a bordo ou do navio *Contesavoia*, ou do *Rex*. Pedia-se que fosse comunicada a partida[20]. A Polícia Secreta do Estado, consultada pela direção do campo de Ravensbrück, reiterava decisão anterior:

> Solicito [...] que seja informado novamente a Benario que não vem ao caso uma libertação em prazo previsível.
>
> Solicito que seja dada ao Banco Germânico da América do Sul a informação correspondente.[21]

Informada da remessa financeira de Leocadia, Olga lhe escrevia:

> De fato, é triste que seus esforços não tenham logrado êxito. Quando, em dezembro, solicitara o dinheiro da viagem, eu tinha em mente que a emigração seria algo possível, uma vez que todo o necessário já havia sido feito, a despeito das circunstâncias [...]. Se vocês acreditam em mim, quando digo que por ora nada é possível, peço-lhes então que cancelem novamente a transferência. Consigo imaginar o quão oneroso lhes tenha sido recolher esta quantia de dinheiro.[22]

---

[20] AG, pasta 170, doc. 80, Berlim, 16 fev. 1940.

[21] AG, pasta 170, doc. 81, Berlim, 7 mar. 1940.

[22] AG, pasta 170, doc. 96-7, "Carta de Olga a Leocadia e Lygia", Ravensbrück, 10 abr. 1940.

Na mesma época, Clotilde Prestes, uma das cunhadas de Olga, lhe enviava telegrama de Moscou:

> RESPONDER POR FAVOR O MAIS RÁPIDO SE VOCÊ TEM PERMISSÃO PARA SAIR DO PAÍS MEU ENDEREÇO PANKRATIEWSKI PEREULOK 8 KWARTIRA 129* CLOTILDE PRESTES MOSCOU[23]

Pelo visto, Olga também poderia emigrar para Moscou. Mas a Gestapo insistia que sua libertação estava condicionada a uma ampla "confissão" de suas atividades comunistas.

Um ano mais tarde, em abril de 1941, o Escritório Central de Segurança do Reich solicitava à direção do campo de concentração de Ravensbrück um relatório detalhado sobre *Olga Sarah Benario Prestes*[24]. Em resposta, o diretor do campo escreveu:

> Olga Sarah Benario Prestes, em prisão preventiva, vem atuando de modo ineficaz no campo. Sua eficiência precisa ser melhorada. Ela deve ser imediatamente castigada com encarceramento por ter infringido as normas do campo. Ela é uma judia inteligente e busca reconhecimento. Seu posicionamento político não é totalmente claro, mas, apesar disso, pode-se perceber que ela ainda não se livrou totalmente do comunismo.
>
> Quando perguntada sobre sua emigração, ela esclareceu que teria possibilidade de ir para a Rússia ou para o México [...]. Quanto à sua soltura, posso hoje tão somente reafirmar as considerações já feitas.

---

* No original, o endereço ("Viela Pankratievski, 8, apartamento 129") é redigido em língua russa, mas com caracteres romanos. (N. E.)

[23] AG, pasta 170, doc. 60, Moscou, 17 abr. 1940.

[24] AG, pasta 166, doc. 57, Berlim, 29 abr. 1941.

> Ainda que ela pudesse emigrar, desaprovo uma soltura de Benario Prestes.[25]

Alguns dias depois, o diretor de Ravensbrück encaminhou a seus superiores em Berlim um memorando sobre Olga. Após apresentar o resumo da ficha policial da prisioneira, afirmou que ela parece ser bastante apegada à filha e disse que a avó da criança, Leocadia Prestes, "é de igual modo uma comunista fanática". A seguir, fez o seguinte registro sobre Olga:

> Benario é uma comunista inteligente e perigosa. Até o momento, durante seu período de encarceramento, ela foi ouvida repetidas vezes, sem, no entanto, qualquer sucesso. Quando confrontada com as declarações de Dünow[26], as afirmações de Olga revelaram sua fanática e inalterável orientação comunista ao dizer: "Se outros se tornaram traidores, eu jamais o serei." Em seu currículo, escrito por ela em 1939, não há qualquer informação sobre suas efetivas atividades políticas.
>
> O pedido de soltura de 04/08/1939 foi recusado.
>
> Pode-se verificar, no registro de 17/05/1941 do Campo de Ravensbrück, que o período de confinamento não fez com que Olga em momento algum se prestasse a agir de acordo com o regulamento do campo. Desde seu ingresso em Barnimstrasse, se pôde perceber seu comportamento insolente e arrogante. [...] Sua conduta e sua capacidade de trabalho são insuficientes. Recentemente, ela teve de ser punida com o encarceramento em virtude de violar o regimento interno do campo. Não

---

[25] AG, pasta 166, doc. 58, Ravensbrück, 15 maio 1941.

[26] Hermann Dünow, antigo militante comunista, que teria relatado suas atividades no setor de inteligência do Partido Comunista da Alemanha; ver nota 7 da seção "Olga na prisão de Barnimstrasse", p. 33 deste volume.

> há de se esperar que ela, sendo judia, modifique sua orientação política. O campo se nega a uma soltura de Benario.
>
> No que diz respeito a seu mau comportamento, sugere-se que o comandante seja instruído a privar Benario de todos os seus benefícios – incluindo a permissão de escrever – por um trimestre, bem como de atribuir-lhe uma carga maior e mais árdua de trabalho.[27]

Em resposta a esse memorando, o Escritório Central de Segurança do Reich fez a seguinte determinação ao diretor do campo de Ravensbrück:

> Em consideração ao comportamento absolutamente inadequado de Benario no campo, a mando do Chefe do Departamento IV – *SS-Brigadeführer** Müller –, solicito, em primeiro lugar, que Benario seja privada de todos os seus benefícios, bem como da permissão de escrever. Ademais, solicito que lhe seja atribuída uma árdua carga de trabalho adicional.
>
> Peço que me seja enviado até o dia 15/09/41 um novo relatório do seu comportamento. Peço ainda que se considere se será ou não necessário prolongar por mais tempo as medidas requeridas.[28]

Conforme revelam os documentos que fazem parte do Arquivo da Gestapo, Olga jamais se prestou a delatar quem quer que fosse nem a "confessar" suas atividades na Juventude Comunista Internacional ou no Comintern. Em diversas ocasiões, em razão de suas atitudes de rebeldia e defesa de

---

27 AG, pasta 166, doc. 59-61, Ravensbrück, 24 maio 1941.

* Patente da SS análoga à de major-general nas Forças Armadas. (N. E.)

28 AG, pasta 166, doc. 62, Berlim, 26 maio 1941.

companheiras mais fracas, foi severamente punida, mantida na escuridão de um calabouço no campo de Ravensbrück, privada da escassa ração destinada às prisioneiras ou submetida a espancamentos e castigos corporais[29]. Durante vários meses, nos períodos em que se encontrava no isolamento, sua correspondência com a família foi interrompida[30].

Olga manteve-se firme, corajosa e solidária com suas companheiras, de acordo com os testemunhos existentes. Até setembro de 1939, quando se iniciou a Segunda Guerra, Leocadia e Lygia tiveram esperanças de obter sua libertação, pois algumas prisioneiras o haviam conseguido. Graças às gestões empreendidas por elas, o governo do México, onde desde outubro de 1938 estavam exiladas, concedeu a Olga asilo político, condição exigida pela Gestapo para uma possível libertação. Entretanto, a eclosão do conflito interrompeu as comunicações postais com a Europa e a documentação remetida para a Alemanha voltou ao México[31]. A partir de então, Leocadia e Lygia compreenderam que qualquer perspectiva de libertação acabara. Hoje sabemos que a Gestapo vetara todas as possibilidades de Olga sair da Alemanha, tendo em vista sua recusa de prestar as informações que lhe eram exigidas sobre suas atividades junto à Internacional Comunista.

---

[29] Ver também Fernando Morais, *Olga* (São Paulo, Alfa-Ômega, 1985); Sarah Helm, *Se isto é uma mulher*, cit.

[30] Ver também Sarah Helm, *Se isto é uma mulher*, cit.; Anita Leocadia Prestes e Lygia Prestes (orgs.), *Anos tormentosos – Luiz Carlos Prestes: correspondência da prisão (1936-1945)*, v. 3 (Rio de Janeiro/São Paulo, Aperj/Paz e Terra, 2002).

[31] Arquivo particular da autora.

O assassinato de Olga

Tempos ainda mais sombrios haviam chegado para Olga. Em Ravensbrück, com as demais prisioneiras, ela era submetida a todo tipo de privações, assim como à prática de trabalho escravo exaustivo, em condições extremamente penosas[1]. Considerada uma "comunista perigosa", carregava também a pecha de judia – estava, portanto, destinada a ser contemplada pelos planos nazistas da "solução final". Em abril de 1942, foi incluída numa leva de prisioneiras escolhidas para serem assassinadas na câmara de gás do campo de concentração de Bernburg. A última carta de Olga foi datada de novembro de 1941[2], mas a família só teve confirmação de sua morte após o término da guerra, em julho de 1945.

Conforme relato de Sarah Helm, mais de 8 mil pessoas foram exterminadas na câmara de gás instalada numa sala de catorze metros quadrados de um hospital da cidade de Bernburg. Ao lado dessa câmara havia um crematório com

---

[1] Ver Sarah Helm, *Se isto é uma mulher. Dentro de Ravensbrück: o campo de concentração de Hitler para mulheres* (Lisboa, Presença, 2015).

[2] Anita Leocadia Prestes e Lygia Prestes (orgs.), *Anos tormentosos – Luiz Carlos Prestes: correspondência da prisão (1936-1945)*, v. 3 (Rio de Janeiro/São Paulo, Aperj/Paz e Terra, 2002), p. 461-3; Fernando Morais, *Olga* (São Paulo, Alfa-Ômega, 1985), p. 282-3.

dois fornos, uma sala de dissecação e uma morgue[3]. Os nazistas mostravam-se extremamente ciosos de manter o extermínio em massa de prisioneiros em segredo. Na secretaria do campo de concentração de Ravensbrück, registrava-se uma doença inventada como causa de morte de cada mulher entre milhares que haviam sido assassinadas em Bernburg. Segundo Sarah Helm:

> O local da morte era sempre Ravensbrück. A data variava, mas era sempre no futuro – por outras palavras, várias semanas depois de as mulheres serem levadas [...]. Eram as próprias prisioneiras que trabalhavam na Secretaria que preenchiam o espaço destinado à causa de morte [...]. O pessoal andava ocupado há semanas a escrever as certidões de óbito. Havia quatro razões diferentes para a morte: problemas de coração; pulmões infetados; problemas de circulação ou poderia também escrever-se: "Todos os esforços médicos para salvar a pessoa foram em vão". As prisioneiras que tinham de preencher as certidões podiam escolher a seu gosto a doença dada como a causa de morte da mulher em questão.[4]

Dando sequência a seu impressionante relato, Sarah Helm informa:

> As prisioneiras que eram secretárias redigiam também cartas a serem enviadas aos parentes, comunicando-lhes a morte e fornecendo-lhes razões falsas, uma data falsa e um local falso de morte. Diziam também aos parentes que eles poderiam receber as cinzas do seu ente querido numa urna em troca de

---

3 Sarah Helm, *Se isto é uma mulher*, cit., p. 174.

4 Ibidem, p. 171.

uma pequena quantia; não seria possível ver o corpo por receio de infecção.[5]

Maria Wiedmaier, comunista que conseguiu sobreviver a Ravensbrück, relatou que a partida de Olga para a morte foi numa segunda-feira, às duas da manhã, como sempre ocorria. Sua companheira prometeu: "Se chegar ao ponto de eles irem matar-nos, eu dou luta". Prometeu também esconder uma mensagem nas roupas. Alguns dias depois, o caminhão de transporte das prisioneiras voltou e trouxe a última mensagem de Olga, que dizia: "A última cidade foi Dessau. Mandaram-nos despir. Não maltratadas. Adeus"[6]. Dessau era a última estação antes de Bernburg, o que reforça que a câmara de gás do hospital dessa cidade foi o destino final dessas vítimas. Um dos médicos de Bernburg revelou em julgamento realizado no pós-guerra que, "quando as prisioneiras chegavam, já vinham despidas" e "da nossa sala levávamo-las diretamente para aquilo a que chamávamos os chuveiros, onde as púnhamos a dormir com monóxido de carbono"[7].

Após o assassinato de Olga, a Polícia Secreta do Estado foi consultada pela chefia do campo de concentração de Ravensbrück a respeito da conveniência ou não de informar, como já se tornara habitual, a mãe a respeito da morte da filha. Em um documento, lê-se a seguinte resposta: "Acredito ter a impressão de que a mãe de Benario se comportou sempre de modo adequado. Não tenho, por conta disso,

5 Idem.

6 Ibidem, p. 172.

7 Ibidem, p. 175.

qualquer objeção em informá-la da morte de sua filha"[8]. Pouco depois, em memorando de Ravensbrück relativo a "Olga Sarah Benario Prestes", declarava-se: "O campo de concentração de Ravensbrück informa que a acima mencionada veio a falecer em 30/04/42 no campo. O campo solicita ainda que a mãe, Eugenie Benario, em Munique, seja informada quanto ao falecimento de Benario"[9].

Em outro memorando, expedido em 30 de maio de 1942 pelo Escritório Central de Segurança do Reich, em Berlim, e dirigido ao Escritório Central da Polícia do Estado em Munique, informava-se o seguinte:

> A acima mencionada [Olga Sarah Benario Prestes] veio a falecer no campo de concentração de Ravensbrück em 30/04/42 de insuficiência cardíaca causada por oclusão intestinal e peritonite. Solicito que se informe de modo apropriado à mãe, Eugenie Benario, em Munique, à rua Jakob Klar, 1, o falecimento de sua filha.
>
> Quanto a Benario, trata-se de uma comunista internacional que era mantida no campo de concentração de Ravensbrück pelo Escritório Central de Segurança do Reich.[10]

Ao final desse documento está registrado que, de acordo com decisão da chefia, "a mãe de Benario foi informada acerca da morte de sua filha". Mencionava-se também que Elise Ewert há muito tinha falecido[11].

---

[8] AG, pasta 166, doc. 63 e 65, s.d.

[9] Ibidem, doc. 65, s.d.

[10] AG, pasta 166, doc. 66-7, Berlim, 30 maio 1942.

[11] Idem. Elise havia falecido no inverno europeu de 1939/1940; vitimada pelos trabalhos forçados e pelos rigores do clima, não resistira a uma tuberculose. Ver Fernando Morais, *Olga*, cit., p. 268.

Em documento emitido alguns dias mais tarde, o dia 30 de abril de 1942 consta como a data do falecimento de Olga no campo de concentração de Ravensbrück – informação inventada, assim como a causa da morte. Adiante era dito que Olga deixara alguns objetos, listados em anexo, e acrescentava-se:

> Deve-se decidir se esses objetos serão entregues a seus descendentes ou se, em razão de se ter comportado como uma inimiga do povo e do Estado, serão retidos e/ou postos de imediato à disposição da Nationalsozialistische Volkswohlfahrt.[12]

Esta última foi a decisão a que se chegou ao final[13], como comprova um documento da Polícia Secreta do Estado, datado de 22 de junho de 1942 e dirigido ao Departamento Central do Reich para o Bem-Estar Social do Partido Nacional-Socialista dos Trabalhadores Alemães. Ele referia-se ao "espólio de uma prisioneira judia falecida", posto à disposição dessa organização para "distribuição aos mais necessitados de nosso povo". Solicitava-se que o recolhimento dos objetos fosse feito no Departamento da Polícia Secreta do Estado, em Berlim[14]. Vários outros documentos confirmam o recebimento desses objetos pelo partido nazista e reproduzem a relação de roupas e calçados incluídos no espólio da prisioneira assassinada[15].

****

[12] Organização vinculada ao Partido Nacional-Socialista dos Trabalhadores Alemães, dedicada ao "bem-estar social" (*Volkswohlfahrt*) do povo alemão.

[13] AG, pasta 166, doc. 68, Berlim, 12 jun. 1942.

[14] AG, pasta 166, doc. 69, Berlim, 22 jun. 1942.

[15] AG, pasta 166, doc. 70-1, Berlim, 30 jun. 1942; doc. 72, 74, Berlim, 2 jul. 1942.

O trágico fim de Olga abalou profundamente toda a família Prestes. Para seu companheiro, foi uma perda irreparável que marcou o restante da sua vida. Muitos anos depois, sempre que Prestes falava em Olga, revelava grande emoção. Por ocasião dos meus aniversários – muitos dos quais passamos longe um do outro – Prestes me escrevia recordando o martírio de Olga e o compromisso de sermos dignos de sua memória. Meu pai e eu sempre entendemos que Olga fora uma entre milhares de outras vítimas do fascismo e que seu martírio deveria servir de exemplo para que não se permita que tais horrores venham a se repetir.

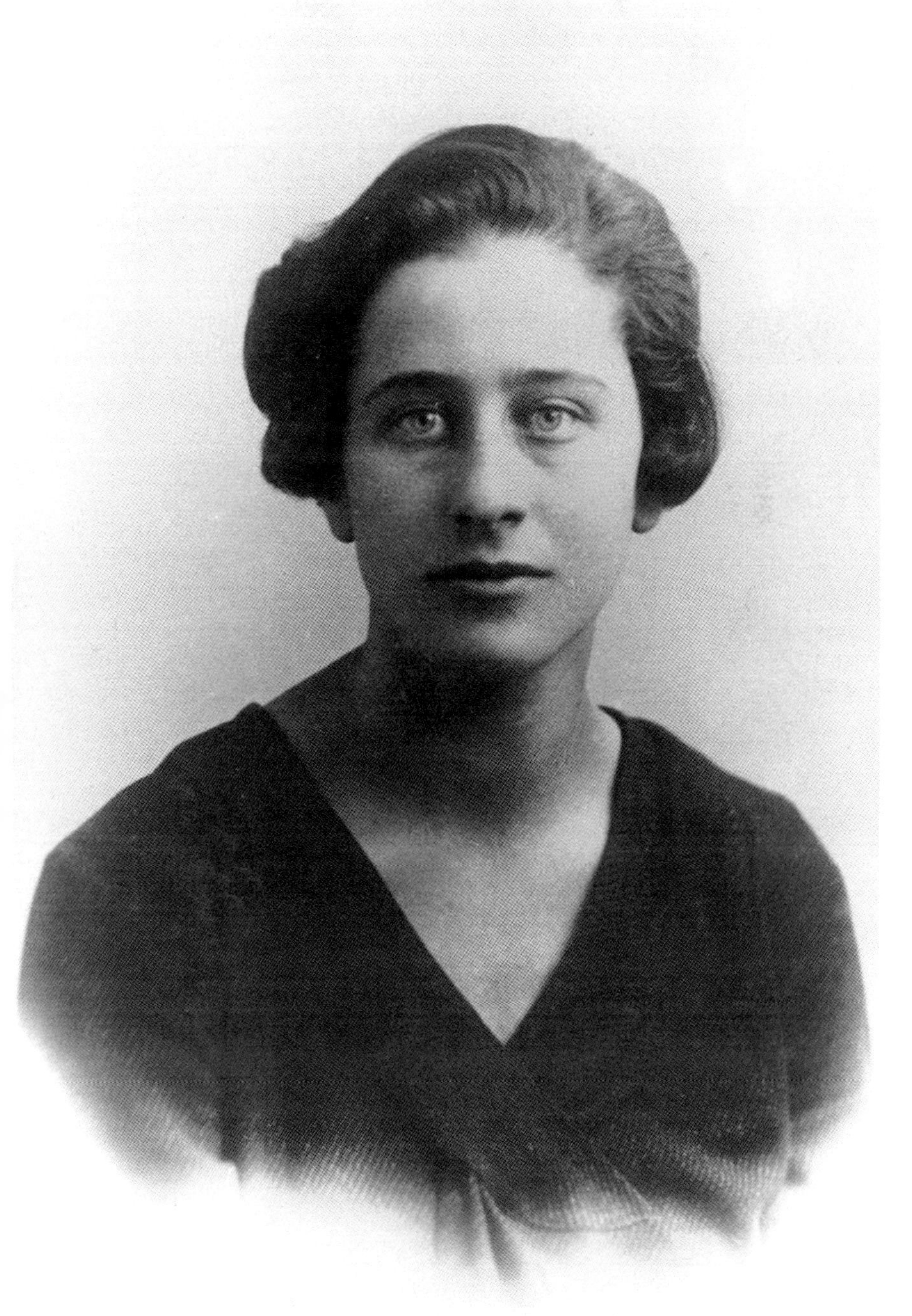

Olga Benario Prestes aos vinte anos.

Luiz Carlos Prestes quando se preparava para regressar clandestinamente ao Brasil para participar da luta contra o fascismo e o integralismo. Moscou, dez. 1934.

Olga sendo conduzida por policial para ser interrogada na Polícia Central. Rio de Janeiro, 1936.

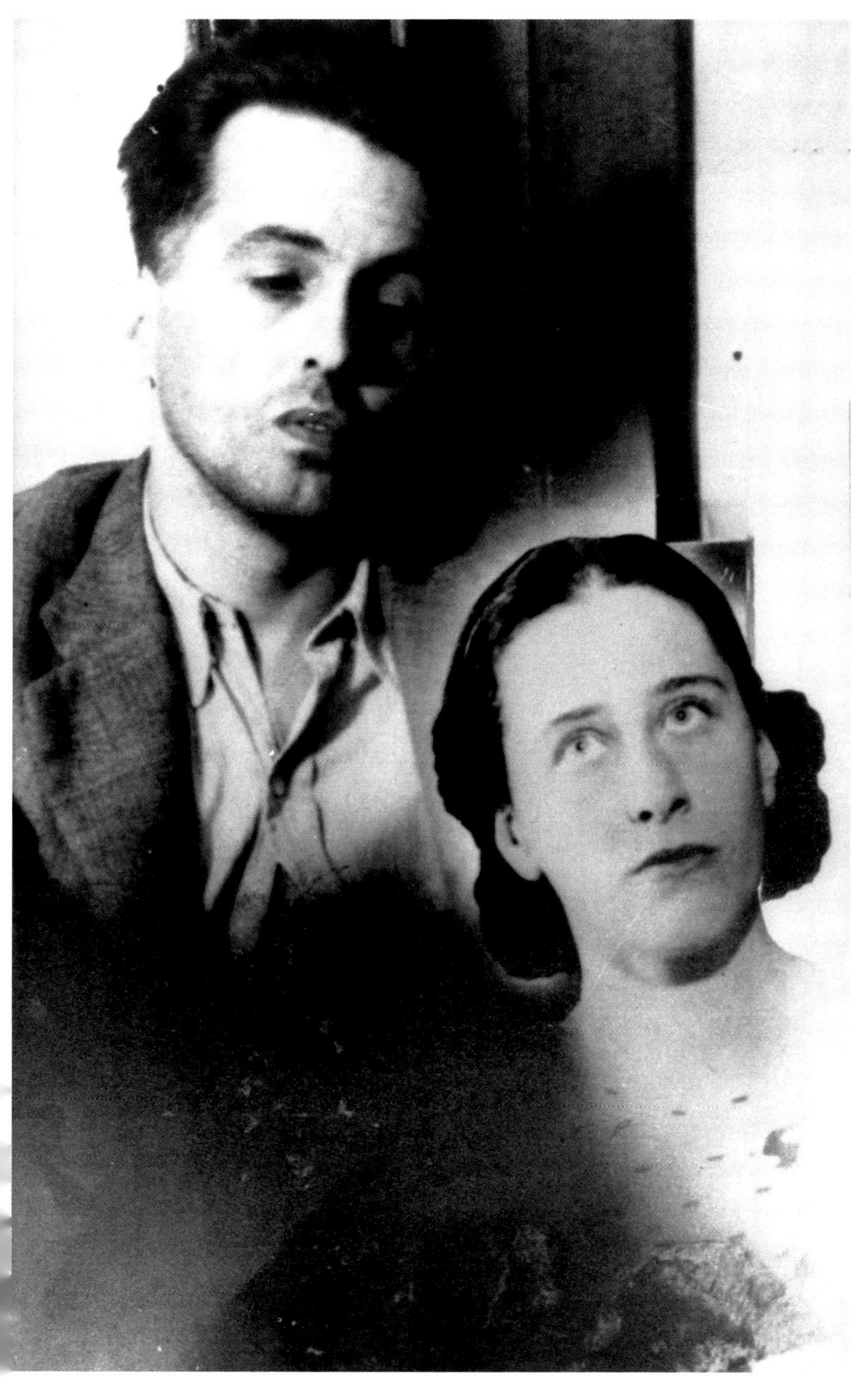

Olga e Prestes ao serem presos. Rio de Janeiro, 5 mar. 1936.

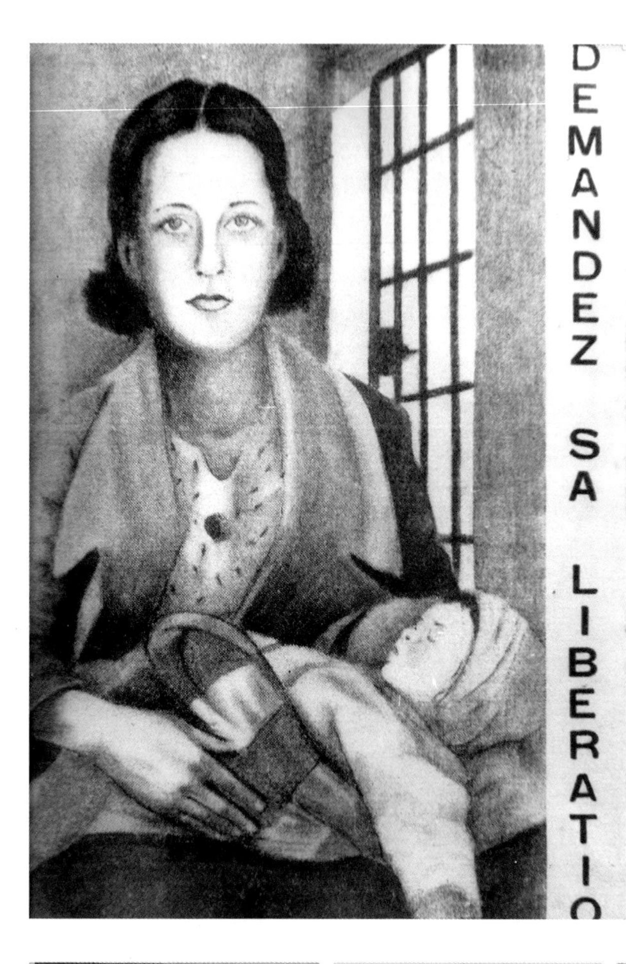

Material de propaganda (cartão-postal) da Campanha Prestes na França; enviado aos milhares para a imprensa, organizações e autoridades brasileiras e de diversos países, exigindo a libertação de Olga e sua filha.

Polizeipräsident in Berlin

82. Polizeirevier

(Unterschrift der Behörde)

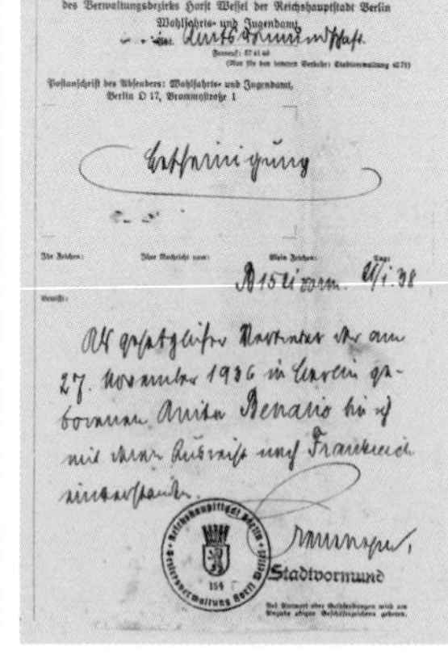

Der Bezirksbürgermeister

des Verwaltungsbezirks Horst Wessel der Reichshauptstadt Berlin

Stadtvormund

82 Polizei-Revier

(Ausstellende Behörde)

Berlin, den 20. 1. 1938

Kinderausweis Nr. 1

Nur gültig bis zur Vollendung des fünfzehnten Lebensjahrs

name: Benario

Rufname: Anita

Geboren am 27. November 1936

Staatsangehörigkeit: Deutsches Reich

Wohnsitz (dauernder Aufenthalt): Berlin

Documento de identidade concedido a Anita Leocadia Prestes pela Gestapo, na ocasião de sua entrega à avó paterna, Leocadia Prestes, em janeiro de 1938. Como as autoridades da Alemanha nazista não reconheciam o casamento de Olga com Prestes, do documento não constam os nomes de Prestes e Leocadia.

Leocadia com Anita. Paris, 1938.

Leocadia com Anita e a jornalista argentina Maria Luiza Carnelli. México, 1940.

Foto de Anita enviada por Leocadia a Olga. México, 1941.

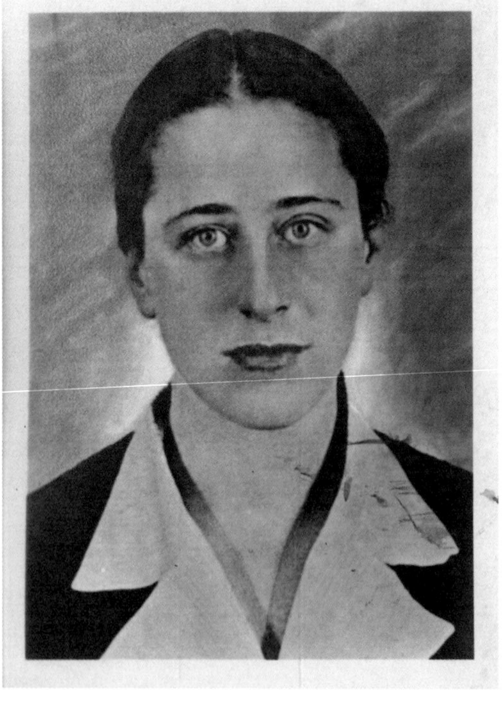

Última foto de Olga, tirada na sede da Gestapo durante interrogatório. Berlim, 1939.

Monumento em homenagem a Olga construído no pós-guerra, em Ravensbrück.

Prestes em visita ao antigo campo de concentração de Ravensbrück, hoje museu. Nov. 1959.

Quartel-general da Gestapo na Prinz-Albrechtstrasse, n. 8, em Berlim. Prédio ao qual Olga foi levada para interrogatórios. Bundesarchiv Bild 183-R97512(1), em Frank McDonough, *Gestapo: mito e realidade na polícia secreta de Hitler* (São Paulo, LeYa, 2016), p. 20.

Fontes consultadas

Arquivos

Arquivo da Gestapo.

- Site em russo: <www.germandocsinrussia.org/ru/nodes/1-rossiysko-germanskiy-proekt-po-otsifrovke-trofeynyhkollektsiy>.
- Site em alemão: <http://rgaspi-458-9.germandocsinrussia.org/de>.
- Collection of documents of German secret services 1912-1945. Russian State Archive of Socio-Political History (RGASPI, Fond 458, Series 9).

Arquivo do Superior Tribunal Militar (STM), Brasília (DF).

Arquivo Estatal Russo de História Social e Política (RGASPH), Moscou, Rússia.

Arquivo particular da autora, Rio de Janeiro (RJ).

Referências bibliográficas

COHEN, Robert. *Der Vorgang Benario*: die Gestapo-akte, 1936-1942. Berlim, Berolina, 2016.

_____ (org.). *Olga Benario, Luiz Carlos Prestes*: Die Unbeugsamen – Briefwechsel aus Gefängnis und KZ. Göttingen, Wallstein, 2013.

DULLES, John W. F. *Sobral Pinto*: a consciência do Brasil. Rio de Janeiro, Nova Fronteira, 2001.

HELM, Sarah. *Se isto é uma mulher*. Dentro de Ravensbrück: o campo de concentração de Hitler para mulheres. Lisboa, Presença, 2015.

MORAIS, Fernando. *Olga*. São Paulo, Alfa-Ômega, 1985.

PRESTES, Anita Leocadia. *Luiz Carlos Prestes e a Aliança Nacional Libertadora*: os caminhos da luta antifascista no Brasil (1934-1935). Petrópolis, Vozes, 1997.

_____. *Campanha Prestes pela libertação dos presos políticos no Brasil (1936-1945)*. 2. ed. São Paulo, Expressão Popular, 2015.

_____. *Luiz Carlos Prestes*: um comunista brasileiro. São Paulo, Boitempo, 2015.

_____; PRESTES, Lygia (orgs.). *Anos tormentosos* – Luiz Carlos Prestes: correspondência da prisão (1936-1945), v. 3 (Rio de Janeiro/São Paulo, Aperj/Paz e Terra, 2002).

Anexo I

Correspondência inédita entre Luiz Carlos Prestes e Olga Benario Prestes (Arquivo da Gestapo)

CARTA – TELEGRAMA[1]
Prestes, Polícia Especial
Rio de Janeiro

A vinte sete novembro nasceu filha normalmente beijos tua mulher

28/11/1936

[1] AG, pasta 167, doc. 8, Berlim, 28 nov. 1936.

Berlim, 17/12/1936.[2]

Sr. Luiz Carlos Prestes
Rio de Janeiro
Polícia Especial.

Carlos, meu querido!

Espero que tenhas recebido meu telegrama informando o nascimento da nossa filhinha. Então, ela nasceu no dia 27 de novembro, às 10h15. O seu peso era de 3,800 kg e tem boa saúde. Sabes que a pequena tem cabelos bem escuros e tão longos que é necessário penteá-los a toda hora. Seus olhos são bem azuis (e eu gostaria tanto que eles fossem como os teus!!). Dei-lhe o nome Anita Leocadia.

Quanto a mim, passei um tempo bastante mal em decorrência do parto. A pequena me causou um rasgão e o médico teve que me costurar. Em seguida estive mais de uma semana com febre (todas as noites acima de 39°) e mesmo agora, quando já se passaram três semanas do parto, ainda devo permanecer deitada.

Em geral, eu gostaria que conhecesses minha situação. Desde minha chegada à Alemanha, me aborreço na enfermaria de uma prisão. Enquanto estiver amamentando a pequena, ela poderá ficar comigo. Mas depois – eu não sei; e compreenderás minha aflição quando penso no futuro da nossa pequena – como seríamos felizes se estivéssemos os três juntos! Deverias ver como é lindo apreciar a nossa pequena, com seus

---

[2] AG, pasta 167, doc. 13-4, Berlim, 17 dez. 1936.

grandes olhos abertos, mamar em meus braços. É um sentimento totalmente [ilegível]. Compreendes [ilegível] com os quais me aflijo. Mas agora eu também reconheço a enorme fonte de forças que representa todo o tempo feliz que passamos juntos. Em pensamento estou sempre a teu lado e sei que teus pensamentos me acompanham. Não é mesmo, Carlos, que é preciso esperar o dia em que estaremos novamente unidos, e então teremos como parceira a pequena Anita?

Querido, como poderia ter notícias tuas? Penso que daqui não haverá dificuldades para que eu te escreva. Talvez possas providenciar que, pelo menos uma vez por mês, possamos nos corresponder. Enfim, isso não é pedir muito, pois desejo informar-te sobre a situação da nossa filha. Também, se tens a possibilidade de escrever a tua mãe, cujo endereço eu não tenho, talvez ela me possa ajudar nesta situação, pois bem sabes que aqui não tenho ninguém.

Querido, me escreve! Realmente, necessito de algumas palavras tuas!

Abraço-te de todo o meu coração e te envio um primeiro beijo da pequena Anita.

Tua mulher

P.S.: Meus melhores votos pelo teu aniversário, que este ano seja mais feliz que o passado!

Endereço: O. Benario-Prestes,
Geheime Staatspolizei Akt. 2428/36-II 1 A 1
Berlin SW11
Prinz Albrecht-str. 8

Berlim, 25/3/1937[3]

Ao senhor
Luiz Carlos Prestes,
Rio de Janeiro.

Meu querido Carlos.

Com ajuda da tua mãe, tento encaminhar-te estas linhas. Não sei se recebeste as outras cartas que eu te enviei depois do nascimento da nossa filhinha.

Já se passaram quase quatro meses desde que a pequena Anita Leocadia nasceu (27 nov. 36). Apesar de eu ter ficado muito doente depois do parto, agora estamos bem, na medida do possível nas condições atuais. Estamos na ala da enfermaria de uma prisão. Eu mesma amamento a pequena, e por isso ela pode permanecer comigo até quando eu estiver em condições de fazê-lo. Depois de tudo o que passei, realmente é de admirar que nossa filha tenha uma saúde como esta. Ela nasceu com 3,800 kg e agora já pesa 6 kg. Na aparência a pequena é uma mistura de nós dois. Ela tem cabelos escuros, tua boca e tuas mãos. É engraçado como ela mexe seus dedinhos como tu. Seus olhos são azuis, mas não tão claros como os meus; antes, de cor violeta. Como desejo que a pudesses ver! Ela sabe rir e dar um pequeno sorriso, que nos faz esquecer tudo de ruim neste mundo. Mas não te inquietes demais, farei todo o possível para que ela não perceba onde se encontra.

---

[3] AG, pasta 167, doc. 74-5, Berlim, 25 mar. 1937.

Querido, tua mãe me enviou tua fotografia. Agora passo muito tempo com a pequena no colo te contemplando e meus pensamentos ficam então contigo. Agora faz um ano que nos separamos. Mas, sabes, todo este tempo difícil trouxe como resultado apenas o fortalecimento de meus sentimentos em relação a ti. Vou encontrar forças para aguardar o feliz dia em que novamente estaremos juntos.

Se puderes, me escreve! Podes imaginar o quanto me inquieta ficar sem notícias tuas e a felicidade que algumas frases tuas representam.

Envio-te muitos beijos da pequena Anita Leocadia e te abraço de todo meu coração,

A tua ...

Endereço:
Olga Benario Prestes
Ao Número 2428/36 II. 1A1
Polícia Secreta do Estado
Berlin SW 11

Rua Prinz Albrecht, 8.

Prettin, 15/1/1939[4]

Meu querido Karli!

Foi para mim uma imensa alegria receber no dia 7 deste mês tua carta de 23/12. Sabes, logo nos sentimos muito mais tranquilos e encorajados com um sinal de vida de quem amamos. Para ser sincera, tuas palavras que mais me alegraram foram aquelas sobre nossa filha Anita. Fazia tanto tempo que não ouvia nada sobre ela, exceto a observação de que passava bem de saúde. Das cartas anunciadas de mamãe, recebi até hoje apenas algumas linhas muito rápidas de Lygia, de meados de novembro. Toda a correspondência no ano passado foi uma tortura para mim. Certamente as circunstâncias eram muito difíceis, mas durante esse longo espaço de tempo recebi no máximo três ou quatro cartas e somente uma vez vieram fotos que me revelaram mais detalhes da pequena. Entre elas houve por várias vezes três meses de absoluto silêncio ou, de vez em quando, a notícia: ainda estamos vivas. Falo a respeito não para me queixar, mas para perguntar-te se sabes de alguma coisa em meu comportamento que possa ter causado uma mudança de humor em mamãe[5]. Apesar de a minha consciência ser a mais tranquila possível, bem sabes como começamos a quebrar a cabeça nesta nossa situação e tentamos encontrar causas para efeitos, as quais

---

[4] AG, pasta 169, doc. 161-2, Prettin, 15 jan. 1939. Consta do original a data de 1938, mas o conteúdo da carta revela que é de 1939.

[5] O ano de 1938 foi de grandes dificuldades para Leocadia, idosa e enferma, e Lygia: o prosseguimento da Campanha Prestes desde Paris, os cuidados com a pequena Anita, os preparativos para viagem e a partida para o México, onde tiveram de iniciar vida nova. Tudo isso dificultou manter a correspondência em dia. Ademais, por exigência da Gestapo, as cartas que chegavam da Alemanha e as que eram para lá enviadas deveriam ser escritas em alemão, o que demandava a boa vontade de amigos que as pudessem traduzir.

dificultam ainda mais a "vida" que já não é fácil. Assim, tu, que também foste privado de toda liberdade de movimento, conseguiste estabelecer uma relação normal comigo. Por que então é impossível eu ser informada regularmente sobre nossa filha? Tu vais me compreender, pois nossa relação também recebeu um colorido diferente por causa desse pequeno e doce ser. Teus pensamentos anteriores sobre a possibilidade de crescimento constante dos sentimentos, teu "*toujours plus*", deve ter alcançado assim a mais bela realização possível para nós. É triste que possamos vivenciar isso tudo apenas de maneira abstrata e oculta na nossa mais íntima profundidade. Mas a vida nos colocou num canto e não resta outra coisa senão carregar o inevitável com dignidade.

Por estes dias mandei para Anita um vestidinho de lã, combinando com touca e calcinha, assim como os outros pequenos presentes de aniversário, sobre os quais te escrevi da última vez. Tomara que ela consiga usar isso no México, pois as coisas foram pensadas para o inverno europeu, mas tanta coisa mudou nesse meio-tempo. Aliás, recebeste a gravata de tricô?

Desde o fim de dezembro novamente posso escrever a cada catorze dias. Minha carta de 22 de dezembro foi destinada a mamãe e continha uma folha para ti. A partir de agora, escreverei alternadamente para ti e para a Cidade do México.

Tive de rir quando dizes que estás muito rico e podes me ajudar. Consegui imaginar direitinho o teu rosto, se me disseses isso pessoalmente. Mas, querido, o dinheiro foste tu quem o recebeste e assim também deverias usá-lo. Da última vez, em setembro, recebi 20 marcos da mamãe. Claro que aqui também temos despesas com selos e jornal, e podemos comprar um pouco de comida extra. Mas espero que, sem recorrer a tua ajuda, novamente pensarão em mim nesse sentido.

O que mais devo dizer-te sobre minha situação? Continuo em prisão preventiva e não sei quanto tempo ainda isso possa durar. Mamãe nunca me escreveu uma palavra sobre o que ela está fazendo por mim. Acho incompreensível que não seja possível acertar as questões sobre minha cidadania e todo o resto relacionado a isso[6]. Como eu gostaria de estar com nossas queridas no México!

Também não penses que me encontre entre pessoas simpáticas. A grande maioria delas é o contrário disso, e há bem poucas com as quais seja possível manter camaradagem.

E tu, meu Karli? O que estás lendo? Não há nenhuma outra possibilidade de ocupação? Estás trabalhando de maneira sistemática em alguma área específica? Da próxima vez, quero enviar-te algo interessante para teus estudos de alemão. Por hoje, porém, creio que esta longa carta é suficiente. Consegues compreender tudo?

Por fim, quero te dizer que meus pensamentos, com infinitas *saudades**, vagueiam de lá para cá entre ti e Anita e que espero, com total impaciência, pela tua próxima carta.

Com muito amor, recebe meu beijo, de todo coração.

Tua Olga.

---

[6] Não obstante os esforços de Leocadia e Lygia, não foi possível obter uma certidão de casamento que assegurasse a Olga o direito à cidadania brasileira.

* As palavras originalmente escritas em português nas cartas em alemão deste anexo serão destacadas em itálico. (N. E.)

Prettin, 30/3/1939[7]

Meu querido Karli!

Há 2 dias recebi tua amável carta de 30/1. Além disso, peço que informes a nossa querida mãe que recebi a carta dela de 27/2 com uma cópia da carta de 15/9, assim como três pequenas fotografias. Respondi a ela em 15/3, mas temo que essas linhas não a alcançarão. Certamente tu és quem melhor podes imaginar a felicidade que todas essas notícias me trazem. Vou [ilegível] e principalmente à noite, antes de adormecer, minha conversa silenciosa contigo e meus pensamentos sobre nossa filha Anita receberam tons e temas novos. Alegrei-me principalmente com tuas linhas porque vejo nelas que tudo aquilo que existe entre nós se mantém, apesar de toda a adversidade do ano de prisão, e se torna cada vez mais uma nova fonte de força e de coragem para nós.

Mas falemos de Anita. Finalmente recebi os retratinhos dela de junho e julho do ano passado e um novo de fevereiro deste ano. Eles me trazem uma grande paz e um infinito consolo, pois vejo como nossa querida está saudável e bem cuidada. A foto de fevereiro mostra Anita apenas de costas, mas dá para ver como suas perninhas e o corpo estão firmes. Mas, sabes, Carlos, tens de me ajudar com minha mãe para que eu também tenha voz ativa sobre Anita, mesmo com esta distância. Escrevem, por exemplo, que ela odeia fitas no cabelo e que sempre as arranca da cabeça, que os bracinhos e as perninhas já estão lindamente bronzeados, enquanto supostamente têm

[7] AG, pasta 169, doc. 217-8, Prettin, 30 mar. 1939.

orgulho do "branco" do restante do corpo, e, por fim, que ela se senta e, preocupada feito uma velha, "lê" o jornal. Vejas, não quero que façam da pequena uma boneca. Ela também não deve se tornar a cópia dos adultos a seu redor. Lembraste da pequena Suzi[8]? É um exemplo típico disso. Anita deve poder ser criança de verdade e também ficar um pouco forte, pois quantos golpes e pancadas ainda a aguardam na vida; e quem sabe se estaremos presentes para protegê-la? Por isso quero que Anita conviva bastante com outras crianças, faça muita ginástica, que todo seu corpinho seja exposto ao sol e, principalmente, que não seja bem-comportada e obediente demais. Tu vais entender o que estou querendo dizer, e penso que somos da mesma opinião a respeito; sabes, olho cheia de preocupação para o rostinho limpo e inocente da criança que me olha da foto. Certamente compreenderás que eu, apesar de minha grande confiança em mamãe e Lyginha, quero cuidar pessoalmente de nossa filha.

Não te preocupes com minha saúde. Vai indo, pois principalmente existe a vontade para tal. Há pouco aconteceu uma mudança na monotonia da minha vida; uma de minhas melhores companheiras não está mais aqui. Algumas vezes já te contei que tinha uma parceira muito boa para estudar línguas estrangeiras, para realizar encenações e para todo o resto. Bem, agora sinto muito sua falta, claro, pois tais circunstâncias extraordinárias unem as pessoas de maneira muito diferente.

---

8 Suzi, filha dos comunistas argentinos Rodolfo e Carmen Ghioldi.

Mas, meu querido, quando penso em tua situação, então trato de me manter calada e conformada. Aliás, sinto falta de teus comentários sobre tuas leituras, que sempre me traziam muita alegria. Espero que o motivo disso não seja a falta de coisas para ler. Agora tens o jornal e podes comprar comida extra? Será que com o correr do tempo não terás direito a algum tipo de atenuante da pena? Podes me descrever mais uma vez o transcorrer do teu dia? Estás conseguindo dormir melhor e como vai tua magreza? Quanto estás pesando? Vejas, quero saber tantas coisas de ti e haverá muito mais para contar, quando acontecer o feliz dia do reencontro. No começo, depois de nossa separação, sempre imaginei isso em minha fantasia e acabei por enterrar tantos sonhos doces no mais profundo íntimo... Mas, Karli, escrevo e escrevo e não levo em consideração se teus conhecimentos de alemão chegam para tanto. Responde logo e também avisa mamãe desta carta, para que ela não se preocupe em vão.

Em pensamento, te abraço e beijo com todo o amor.

Tua Olga

Ravensbrück, 26/10/1939[9]

Meu querido Karli!

Hoje quero te contar com que alegria recebi uma carta de Lygia do final de setembro. Vamos torcer para que no futuro também seja possível manter o contato com nossas queridas. Como estou feliz por ter notícias tão boas de tua situação pelas linhas de Lygia! Agora, quando pego o jornal, faço-o de coração mais leve, pois sei que isso também não te é mais negado. Compartilho tua confiança e desejo apenas que a saúde não nos pregue uma peça. Lygia menciona uma carta de 29 de agosto que me terias escrito. Mas não a recebi até agora. Encantada, leio desta vez a descrição de nossa pequena Anita. Meu coração se aquece quando leio sobre seu caráter, mistura de doçura com teimosia, mais doses de *molecagem*. E como eu gostaria de ver a covinha que aparece na bochecha direita. Imagina como seria se pudesses brincar com tua filhinha! Certamente não me restaria outra coisa senão bronqueá-los para que se comportassem com mais juízo!!! Eu própria não vou mal e não deves te preocupar. Receber notícias de tua situação e das queridas é o melhor calmante para os nervos. Além disso, muitas vezes penso: Carlos ficaria surpreso se me visse agora. Porém, posso te dizer que não gostaria de perder a escola destes anos. Falando sinceramente, minha necessidade disso estaria totalmente coberta.

De ti quero saber quanto estás pesando e se consegues dormir. Responde-me na próxima carta. Quando comeres

[9] AG, pasta 170, doc. 50, Ravensbrück, 26 out. 1939.

laranjas, pensa em mim, e será um consolo saber que as preparas para mim em pensamento!! Como eu gostaria de ser de novo *papa-laranja*... Gostaria de falar contigo sobre infinitas coisas. Infelizmente este não é o espaço para isso. O que eu daria para conhecer teus comentários sobre todos os acontecimentos. Mas estou quase certa de que, apesar da distância existente entre nós, estaríamos de acordo, como sempre.

Então, desejemos que nunca esmoreça a coragem para esperar os tempos em que poderemos estar juntos novamente.

Como sempre, com muito amor, recebe meu abraço de todo o coração.

Tua Olga.

Rio, 11/1/1940[10]

Minha querida Olga!

Releio o tempo todo as tuas duas cartas de outubro, que recebi faz pouco tempo. Como vês, uso tuas cartas e me comporto como um papagaio que sabe ler, pois aprendo com tuas cartas, as imito e as macaqueio. O que fazer? O essencial é enviar-te este pequeno pedaço de papel, pois teus olhos lerão nele tudo o que eu gostaria de te dizer, mas que não sei exprimir nesta língua[11].

Será que recebeste minhas duas cartas de outubro e as outras duas de dezembro? A última carta de nossas queridas foi de 29 de dezembro; elas estavam com saúde e esperavam a todo instante receber uma carta tua. Como presente de aniversário, recebi uma linda carta da Lygia. Mamãe me diz que as cartas das irmãs agora também demoram muito e isso aumenta sua preocupação. Clotilde ficou doente e de cama em novembro, mas parece que se recuperou. As outras vão bem. O pequeno Roberto[12] é muito forte. Mas falemos da nossa querida Anita. Tenho duas fotografias das muitas tiradas em seu aniversário e confesso que estou encantado e surpreso. A fisionomia dela e principalmente o olhar atestam claramente o seu caráter, sobre o qual a Lygia escreveu: "mistura de doçura com teimosia, mais uma dose de *molecagem*".

---

[10] AG, pasta 170, doc. 148-50, Rio de Janeiro, 11 jan. 1940. Carta manuscrita de Prestes em alemão.

[11] Prestes estudava alemão sozinho, no cárcere, para corresponder-se com Olga, uma vez que a Gestapo exigia que as cartas fossem redigidas nesse idioma.

[12] Roberto Nicolsky, sobrinho de Prestes, filho de sua irmã Lúcia, nascido em Moscou em 18 de maio de 1938.

Sim, minha querida: a doçura e a *molecagem* estão claramente presentes em seus grandes olhos, cândidos, mas ao mesmo tempo *pícaros*, e a teimosia em sua boquinha voluntariosa. Mas aquilo que me deu motivo para espanto foi a tranquilidade de sua fisionomia e sua postura audaz. Sua pequena cabeça já pensa, ao que parece. Logo vai querer saber por que a mãe está tão longe... Numa fotografia, vais admirar a beleza dos bracinhos dela e desejarás, assim como eu desejo, senti-los abraçando o teu pescoço.

E como ela cresceu! Escreve-me, minha pequena, e me conta tuas impressões sobre as novas fotografias.

De minha parte, não tenho nada de novo para te dizer. Do ponto de vista da saúde, estou bem, apesar do calor. Consigo dormir e como regularmente. Agora posso novamente passear no pequeno pátio e faço um pouco de ginástica. Há muito tempo não recebo livros novos, de modo que o jornal quebra um pouco a monotonia da minha vida. Estou lendo pela terceira vez o famoso livro de Darwin, *Reise eines Naturkundige um die Welt* [*Viagem de um naturalista ao redor do mundo*]. Trata-se de uma leitura interessante porque nesse livro já estão todas as bases ou raízes de sua teoria sobre a evolução ou a sobrevivência dos mais aptos. Seu espírito de observação e sua maneira dialética de pensar também são muito interessantes. Um bom livro, se pudéssemos lê-lo juntos... ainda que fosse no recanto mais afastado da floresta Amazônica.

E tu, minha querida, como vais? Penso com infinito receio e o coração apertado se estarás bem em pleno e tão rigoroso inverno. Quando receberei tua primeira carta por via aérea? Em poucos dias será teu aniversário, mas nessa data ainda receberás outra carta.

Seguro tuas mãos em pensamento e penso sempre em ti com muito amor e carinho.

Recebe meu beijo,

teu Carlos.

Rio, 25/1/1940[13]

Minha querida Olga.

Espero que esta carta consiga chegar às tuas mãos alguns dias antes do teu aniversário e que em pensamento consigas admirar as flores que nossa Anita te entregaria caso nós três estivéssemos juntos. Imagina como seria o sorriso dela... e minha alegria! Apenas e unicamente esse pensamento junto àquele em que unimos o que há de inesquecível do passado com o futuro consegue minorar a tristeza e a preocupação com o presente. Será que vais compreender o que estou dizendo?... O remédio é sorrir e adivinhar. Minha intenção é boa e sei que não dirias: "o caminho até o inferno está cheio de boas intenções"...

Mas como estás? Imagino tudo o que deves ter sofrido com o rigoroso inverno deste ano, e às vezes estremeço pela tua saúde. O pior é que depois das tuas cartas de outubro não recebi mais nada, e mamãe, em sua última carta de 12 deste mês, me diz que novamente não tem quaisquer notícias tuas, mas teme que tuas cartas não estejam chegando até ela. Por favor, minha querida, escreve-me imediatamente, assim que puderes. Escreve-me logo.

Recebe meu beijo com todo amor e muitas *saudades*,

teu Carlos.

[13] AG, pasta 170, doc. 75-6, Rio de Janeiro, 25 jan. 1940. Carta manuscrita de Prestes em alemão.

Ravensbrück, 14/5/1940[14]

Minhas queridas!

Desde vossa carta de março que não recebo notícias vossas! Acima de tudo, gostaria de saber mais sobre Anita. Gostaria tanto que Lygia fizesse mais uma vez uma descrição detalhada da pequena. Pude recentemente escrever a Clotilde e penso que assim o contato entre nós está restabelecido. Façam-me também um relato mais detalhado sobre a saúde de mamãe!

Meu querido Carlos!

Hoje posso responder a tuas cartas de 11 e 29 de dezembro. Jamais conseguiria descrever mesmo parcialmente os sentimentos e pensamentos que tuas palavras de amor despertaram em mim. Fico especialmente tocada quando vejo teu esforço em escrever essas cartas em alemão. Fico triste ao perceber que não te poderei retornar as correções. Mas ainda não existe, por enquanto, ensino a distância entre o Rio de Janeiro e Ravensbrück.

Tem em mente que recebi recentemente pela primeira vez uma carta de Clotilde e que também devo responder a ela. Podes imaginar minha alegria. E já que não posso ter maiores informações sobre o desenvolvimento de Anita, espero agora ouvir pelo menos algo a respeito de Roberto, que, diferentemente do que escreves – "um encanto" –, se diz,

14 AG, pasta 170, doc. 111-2, Ravensbrück, 14 maio 1940. Carta de Olga a Prestes encaminhada por Leocadia e Lygia.

quando muito, "encantado" (adjetivo!!). Mas não penses que estou começando a me tornar petulante, pois já o desaprendi há muito tempo. Às vezes brigo com o destino e fico pensando que nós dois não temos mais nenhuma sorte. Mas aí, ao contrário, quando o coração se põe contra a contemplação triste do entendimento, ele me diz então que, no final das contas, talvez seja bom o modo como as coisas aconteceram. E ainda, agora estou certa de que neste momento estamos não só "firmes", mas absolutamente de pleno acordo um com o outro.

Quanto à saúde, vai indo bem. Tive febre, mas tua "contadora de histórias" ficou bem-comportada na cama. O resto está normal. Portanto, não fiques preocupado sem motivos.

Por fim, recebe meus abraços com todo o amor, de

tua Olga.

Ravensbrück, 15/6/1940[15]

Meu querido Carlos!

Fico contente em poder te dar um sinal de vida. Infelizmente não posso realizar teu desejo de responder via aérea. Recebi tua carta de 15/2, ultimamente também tenho recebido com bastante regularidade as cartas da Lygia. Como um fantasma, está diante de mim a possibilidade de a conexão postal com vocês ser interrompida. Em compensação, tenho a certeza de saber que nosso amor está bem distante de todos os perigos do momento. Como mamãe foi inteligente ao viajar para o México naquela época.

Quero conversar contigo sobre nossa pequena Anita. O que dizes de suas novas fotos? Estou muito contente por saber que ao menos podes ficar com as fotos dela. No que se refere à sua educação, peço-te que tenhas voz de poder com mamãe. Nossos muitos e queridos tios e tias parecem querer compensar a falta dos pais de Anita com mimos exagerados. Escrevem-me a respeito de um vestido de seda feito sob medida na costureira, cachos até os ombros produzidos artificialmente, um sem-número de brinquedos etc. Mas nada é mais prejudicial do que passar à criança a sensação de ser algo especial. Isso lhe tornará a vida mais difícil no futuro. Por que ela não usa cabelos curtos, como as outras crianças da redondeza, e já não está há tempos num jardim de infância com crianças da mesma idade? Afinal, nossa filha não deve se tornar uma bonequinha mimada!

---

[15] AG, pasta 170, doc. 118-9, Ravensbrück, 15 jun. 1940.

De minha parte, há pouco para te dizer. Fora o jornal, não leio quase nada. Mas isso já oferece o suficiente para refletir. Além disso, estou contente pelo sol, e a vida no verão é muito mais fácil. As lembranças dos dias felizes do passado aparecem apenas nos meus sonhos. Vamos continuar esperando que os sonhos se tornem realidade.

Mantenhas-te saudável. Escreve-me de novo e recebe um abraço com muita *saudade*

da tua Olga.

Rio, 1º/7/1940[16]

Minha querida Olga.

Desde o teu bilhete de 11/3, infelizmente, não recebi mais nenhuma notícia tua. O que fazer? Nas atuais circunstâncias isso não nos espanta muito, não é? E tu, minha querida, recebeste o meu bilhete? Peço-te insistentemente que me escrevas via aérea, porque o correio via marítima da Europa para o México atualmente é quase impossível. Será que não poderias, ao menos, acusar o recebimento destas linhas? Penso na tua situação, com infinito receio e muita preocupação no coração, em como estarás suportando, principalmente do ponto de vista físico, este estado contínuo de privações.

Felizmente as notícias de nossos três amores são boas. Nossa Anita está forte, mais e mais ativa e audaz. Tenho uma fotografia de 20/5 que muito me encantou. Tua filha é tão grande, tão diferente de teu pequeno bebê, que realmente vais preferir que ela seja vista como tua irmã mais nova.

Quanto a mim, estou sempre na mesma situação e não tenho nada de especial para te contar. Felizmente tive a oportunidade de seguir pela imprensa os grandes acontecimentos do momento. Gostaria de conversar contigo sobre infinitas coisas, mas é aconselhável parar por aqui.

Recebeste as cartas das irmãs? Até abril elas te tinham escrito duas cartas.

---

16 AG, pasta 170, doc. 121-2, Rio de Janeiro, 1º jul. 1940. Carta manuscrita de Prestes em alemão.

Em pensamento, tomo tuas mãos, e cheio de amor e carinho lembro-me sempre de ti.

Um beijo do teu Carlos

P.S.: Envio-te, anexa, uma nova fotografia que acabei de receber. Olha o joelho... A outra é uma amiguinha mexicana – doña Raquelita. Cuernavaca é uma cidade perto de Cidade do México, onde nossos amores estiveram por quinze dias em maio. Carlos.[17]

Endereço: Rio de Janeiro – Brasil
Via aérea – via Roma (Itália)
Casa de Correção – Rua Frei Caneca
Luiz Carlos Prestes

---

[17] No verso da fotografia, lê-se: "Ao querido Papai com muitos beijinhos de sua "sempre" bonita./ Da Anita Leocadia/ (Tirada em fins de maio de 1940, em Cuernavaca.)"

Rio, 5/8/1940[18]

Minha querida Olga.

Após dois meses sem quaisquer notícias tuas, acabei recebendo tua carta de 14/5. Tuas palavras queridas me trouxeram novas esperanças e nova coragem. E aqui, na minha solidão, isso é mais e mais importante.

Mas vejamos o que hoje te posso dizer. As notícias de nossos três amores lá no México são boas. Nossa filha está sempre saudável e muito grande para seus 3-4 anos. Talvez já tenhas recebido as quatro fotografias do mês de maio ou ao menos aquelas que te mandei com minha carta de 1º/7.

Mamãe me diz que ela – nossa Anita – gosta de ajudar nos trabalhos domésticos e fica contente quando tem permissão para guardar os talheres de mesa. Com seus pensamentos e sua delicadeza já sabe envolver a avó: ficarei alta e você ficará pequena como eu agora, diz à avó, cuidarei muito bem de ti e farei tudo por ti. Outras vezes, ela diz que a *vovó* é muito boa e que vai lhe dar um belo *juguete* (brinquedo). Um olhar cândido e doce (que conheço) deve acompanhar esse jeito de falar. Consigo imaginar isso muito bem. No que se refere ao progresso da sua inteligência, me parece normal. Ela quer conhecer e saber tudo, e por isso fala e pergunta de manhã à noite. Por fim, passa horas rabiscando e diz que já sabe escrever o *O*. Triste apenas é que tudo isso aconteça tão longe de nós dois. Mas nesta língua também não me atrevo a fazer mais comentários.

---

[18] AG, pasta 170, doc. 153, Rio de Janeiro, 5 ago. 1940. Carta manuscrita de Prestes em alemão.

Do ponto de vista da saúde, estou sempre bem e minha situação é a seguinte. Felizmente posso acompanhar os acontecimentos atuais pelo jornal. Quando será possível tua viagem ao México? Esta é minha única e eterna pergunta. Agora estás no verão, o sol brilha, mas penso com preocupação no próximo inverno. Finalmente, é possível que digas que talvez no fim das contas tenha sido bom que as coisas tivessem se passado assim. Depois desses anos cheios de preocupações, hão de vir tempos melhores. Gostaria de falar contigo sobre infinitas outras coisas, mas infelizmente este não é o espaço para isso e já há suficientes erros de gramática nesta carta. Cheio de saudades, aguardo uma nova carta tua. Como sempre, recebe meu abraço de todo o coração e cheio de amor,

teu Carlos.

22/8/1940[19]

Meu querido Carlos!

Recebi tua carta de 1º/7 junto com o retratinho de Anita. Isso foi algo novamente "típico do Carlos", privar-se da foto de Anita e me alegrar com ela. Agradeço-te imensamente por essa atenção. Como cresceu nossa pequena! Mas o rostinho me parece tão estranho. Acho bem difícil gravá-lo assim em meu coração. Às vezes fico com medo ao pensar que não faltam muitos anos para Anita ter crescido totalmente sem nós.

Não te preocupes comigo. Passo consideravelmente melhor na época quente do ano e estou bronzeada do sol. Entretanto, seria muito triste se eu tivesse de passar um sexto inverno aqui. Mas adquirimos resistência justamente do ponto de vista físico e, no que diz respeito à frugalidade pessoal, eu, talvez melhor do que antes, consiga me igualar a ti. Ficar sabendo do que dizes sobre tuas leituras me torna ainda mais impaciente devido a meu anseio pelo dia em que novamente pudermos conversar. Até lá, vamos nos manter com saúde e não deixar a coragem minguar.

Recebe o abraço cheio de amor e carinho da

tua Olga.

[19] AG, pasta 170, doc. 141 e 143, 22 ago. 1940.

P.S.: Escreve para:
Geheime Staatspolizei [Gestapo / Polícia Secreta do Estado]
für Olga-Benario Prestes
Berlin SW 11
Prinz Albrechtstr. 8

Assim recebo mais rápido.

Rio, 9/9/1940[20]

Minha querida Olga.

No dia 3 deste mês recebi tuas encorajadoras linhas de agosto. Fiquei muito contente, pois tua última carta ainda era de maio e eu temia também que o retratinho da Anita não tivesse chegado.

As sutilezas e o agradecimento da tua carta me divertiram. Dá para imaginar a ironia... Será possível que estejas te tornando *pícara* de novo? Posso dizer "típico de Olga"?

Mas o que mais me alegrou foi ter recebido notícias tuas com tanta rapidez. Eu já não acreditava mais em correio aéreo para a Europa e por isso já havia te escrito, no dia 3 deste mês, uma longa carta via México. Claro que em português.

Nossos três amores estão com saúde. Tenho um novo retratinho da Anita, melhor do que o anterior, e também maior. Não dá para mandá-lo num envelope convencional, mas sei que mamãe já te enviou.

Repito tuas palavras: não te preocupes comigo. Minha situação se mantém sempre a mesma. Sozinho, com minhas *saudades* e meus pensamentos. Leio muito – livros, revistas, o jornal diário. Mas é desagradável não conversar, não trabalhar, não ver amigos. Mas não deixo a coragem diminuir, e o sentimento de pertencimento total a ti me dá forças para isso.

---

20 AG, pasta 170, doc. 162-3, Rio de Janeiro, 9 set. 1940. Carta manuscrita de Prestes em alemão.

Mas, me escreve com a maior frequência que puderes. Imagina como são os nervos de um solitário... e ter notícias tuas é o melhor calmante para os meus nervos.

Bem, por fim, recebe o abraço com todo amor do

teu Carlos.

P.S.: Acabei de receber tua carta de 15/6. Vou respondê-la em breve. Falaremos sobre a educação da Anita. Carlos.

Rio, 7/10/1940[21]

Minha querida Olga.

O tempo todo releio as tuas cartas de junho e agosto, recebidas há pouco. Em 10/9 respondi teu bilhete de agosto e hoje eu deveria falar especialmente sobre teus comentários em relação à educação da pequena Anita. Mas nesta língua não consigo te dizer quase nada. Entendo completamente tuas preocupações, pois é muito triste que nós mesmos não possamos criar a nossa filha, e tu deves sentir isso muito mais do que eu.

Contudo, creio que podes ficar tranquila a esse respeito, pois nossa mãe, apesar da idade, ainda é suficientemente enérgica e possui longa experiência. Mamãe pensa corretamente, como tu, que nada é mais pernicioso do que passar à criança a sensação de ser algo especial. É difícil participar da educação da Anita a tamanha distância. Nosso único consolo é saber que a pequena dispõe do necessário para seu pleno desenvolvimento corporal e mental e, o que é bom, que não se põe na cabeça dela nenhum princípio que seja oposto aos nossos. Mas, como me pediste, já escrevi à nossa mãe.

Já recebeste a nova foto da Anita? O que dizes dela? Ela parece muito mais uma *moreninha* brasileira do que uma "*Fräulein*" de Berlim. Dentro de poucas semanas ela fará 4 anos!...

As notícias de nossos três amores são boas. A última carta da *mamãe* é de 20/9. Ela sempre te escreveu, mas depois da

---

21 AG, pasta 170, doc. 172-3, Rio de Janeiro, 7 out. 1940. Carta manuscrita de Prestes em alemão.

tua carta de maio não recebeu mais nada. É verdade que agora as notícias das irmãs também chegam com muita demora.

De mim não há nada para dizer. Estou recebendo do México muitas revistas estadunidenses que me dizem, juntamente com o jornal diário, o que se passa no mundo. Falaremos muito a respeito, mas é aconselhável encerrar por aqui.

Escreve-me de novo logo e da maneira como te for possível, via aérea ou não.

Como sempre, recebe meu abraço de todo o coração e cheio de amor,

teu Carlos.

Rio, 26/11/1940[22]

Minha querida Olga.

Infelizmente não recebi quaisquer notícias tuas desde a tua carta de agosto, e mais uma vez minha alegria e as esperanças em relação a uma correspondência normal foram em vão. Quero acreditar que, durante esse tempo, permaneceste com saúde e que a falta de tuas cartas seja apenas uma consequência inevitável da guerra. Nossos amores no México me [ilegível] agora que receberam nos últimos dias de outubro tua carta de junho. Por isso, vamos esperar com paciência as posteriores, certo?

Felizmente recebo agora as cartas da *mamãe* com regularidade. Nossa Anita está sempre com saúde. Infelizmente, porém, as informações sobre a pequena são muito breves. Espero por uma prometida carta da Lygia com mais notícias. Já viste as últimas fotos da nossa pequena? São de agosto e te foram enviadas por dois caminhos – diretamente do México e por intermédio das irmãs. Nossa filha já tem quatro anos! Para que mais invernos?

Sobre mim, há pouco a dizer. Estou bem de saúde e minha situação é sempre a mesma. Leio o jornal diário e diversas revistas, assim não perco inteiramente as grandes lições do presente.

Já pedi à nossa mãe que te informe sobre a minha situação jurídica, que se complicou muito nos últimos tempos[23]. Mas não te preocupes, não deixo jamais a coragem minguar.

---

[22] AG, pasta 170, doc. 191, Rio de Janeiro, 26 nov. 1940. Carta manuscrita de Prestes em alemão.

[23] Em novembro de 1940, Prestes foi condenado a mais trinta anos de prisão, totalizando mais de 46 anos de pena.

Então, minha querida, por fim quero te dizer apenas que meus pensamentos vagueiam com infinitas *saudades* de lá para cá, entre tu e a Anita, e que, impaciente, aguardo tua próxima carta.

Como sempre, recebe meu abraço de todo o coração e cheio de amor,

teu Carlos.

Rio, 27/12/1940[24]

Minha querida Olga.

Não queria que o ano terminasse sem te escrever estas linhas. Será que chegarão às tuas mãos? Na verdade, as esperanças a esse respeito não são muito grandes. Desde teu último bilhete de agosto, não recebi mais nada, e podes imaginar meus temores. Infelizmente nossa mãe também não sabe nada de ti e as cartas das irmãs também se tornaram muito esparsas. As últimas notícias que elas nos deram de ti ainda são de agosto.

E tu, meu amor, tiveste uma sorte melhor? Como vai tua saúde? Será que não estás trabalhando demais? Recebeste notícias da nossa Anita?

Estou com uma carta de 10/12 dos nossos amores. Todas as três tiveram gripe no final de novembro, mas já estão bem. Nossa filha, sempre forte e muito alegre – é o que me diz minha mãe.

Aqui é verão – o céu sempre azul e um sol terrível –, mas, em extrema contradição, penso apenas na neve e no frio e em tudo o que sofres no momento.

Minha situação é sempre a mesma, e estou bem de saúde. Queria conversar contigo sobre infinitas coisas mais, mas infelizmente este não é o espaço para isso.

Por fim, quero apenas te dizer que espero com grande ansiedade uma carta tua. Escreve-me logo.

Um beijo com muita *saudade* e todo amor,

teu Carlos.

[24] AG, pasta 170, doc. 201, Rio de Janeiro, 27 dez. 1940. Carta manuscrita de Prestes em alemão.

Ravensbrück, janeiro 1941[25]

Meu querido Carlos!

Muito obrigada por tuas linhas de 26/11. Nesse meio--tempo, certamente recebeste minha carta de novembro. Fico contente por conseguires acompanhar, ao menos por cartas, o desenvolvimento de nossa filhinha. Embora, mais uma vez, eu sinta falta dessas descrições, fiquei feliz com a foto de agosto, à qual sempre retorno nos momentos sombrios.

Em que medida tua situação se complicou? Até hoje não sei nada a respeito. De saúde não vou mal, e ficamos felizes por este inverno não ser tão rigoroso. Já chegamos a 1941, o dia 3 de janeiro[26] também já passou e estamos há mais de cinco anos separados. Na realidade eu deveria perguntar-te, na qualidade de incorrigível otimista, se neste ano nossos desejos serão realizados, mas quero apenas te assegurar que ainda não abandonei as esperanças.

Bem, meu querido, seguro tuas mãos em pensamento e abraço-te com infinitas *saudades* e amor,

tua Olga.

---

[25] AG, pasta 170, doc. 204-5, Ravensbrück, jan. 1941.

[26] Data do aniversário de Prestes.

Ravensbrück, 16/3/1941[27]

Minhas queridas!

Hoje posso confirmar o recebimento da carta de vocês de 17/2 e espero que nesse meio-tempo tenham recebido minhas linhas de janeiro e fevereiro. Recebi a postagem da mãe de 27/12 e já consegui respondê-la. Quanto a Carlos, posso imaginar as circunstâncias de seu novo processo, mas, depois do que me escrevestes, parece que se chegou justamente ao oposto.

Vossas perguntas sobre o envio de alimentos me deixam preocupada, pois até agora não chegou o pacote de Natal que foi enviado. Por enquanto, terei de pagar mensalmente dez marcos para poder receber alimentos adicionais ou itens de toalete; é mais fácil vocês realizarem transferências de dinheiro direto para Ravensbrück.

Por fim, peço que enviem a Carlos as linhas abaixo. Beijos para o Roberto de sua tia e abraços com todo o amor e amizade de

vossa Olga.

[27] AG, pasta 170, doc. 237, Ravensbrück, 16 mar. 1941. Carta de Olga a Prestes encaminhada pelas cunhadas residentes em Moscou.

Ravensbrück, 16/3/1941

Meu querido Carlos!

Algumas linhas para ti apenas como um sinal de vida. Recebeste minha carta por correio aéreo?

Mamãe e também Clotilde me informaram sobre os graves problemas que tiveste de enfrentar. Posso entender perfeitamente as circunstâncias para isso. É somente de se lamentar que eu daqui nada possa fazer por ti.

Mas vejo que você se mantém com saúde. Não há mesmo nenhuma possibilidade de que não tenhas de ficar sempre sozinho? Isto é o que mais me entristece quanto a tua situação.

Por aqui já é primavera e o sol mais quente é o presente mais belo. Estamos satisfeitas por mais um inverno ter ficado para trás e na expectativa do que a primavera e o verão nos possam trazer.

O que sabes de nossa pequena Anita? Saiba que, como sempre, te tenho sempre em meus pensamentos, repletos de amor e paixão. Abraços com todo o meu coração,

tua Olga.

Ravensbrück, abril/1941[28]

Meu querido, bom Carlos!

Infelizmente já se passaram alguns meses desde tua última carta e eu me pergunto se o correio aéreo Roma-Rio de Janeiro funciona. Na verdade, eu teria muita coisa para discutir contigo, pois mesmo que nestes últimos anos tenhamos sido obrigados a ficar parados, temos um pouco de tempo para examinar em profundidade o que se passou e principalmente o relacionamento com as pessoas que nos são mais próximas.

Sabes, há algum tempo, queria te dizer que agora vejo que, durante nossos felizes tempos de vida em comum, me comportei na prática como uma criança egoísta. Acredita que, apenas agora, dada esta grande distância, pude perceber inteiramente tua bondade.

Também, ademais de falar de questões pessoais, quanto não teríamos para conversar! Com infinita melancolia penso que teu sofrimento é muito maior, visto que tens apenas quatro paredes para conversar. Tens recebido regularmente cartas de mamãe sobre Anita? Muitas vezes, fico triste quando minhas companheiras recebem cartas a respeito de seus filhos e ali, ao lado delas, penso: "o que ainda sei de minha filha?". Mas, sabes, não deixaremos a coragem esmaecer.

Mais uma vez superei a gripe do início de ano; além disso, não estou mal.

---

[28] AG, pasta 170, doc. 241, Ravensbrück, jan. 1941.

Bem, espero que estas linhas te alcancem para te dizer que, como sempre, meus pensamentos estão amorosamente contigo. Beijo da

tua Olga.

Anexo II

Passaporte concedido a Olga Benario pelo Consulado da Alemanha no Rio de Janeiro em 10 de setembro de 1936

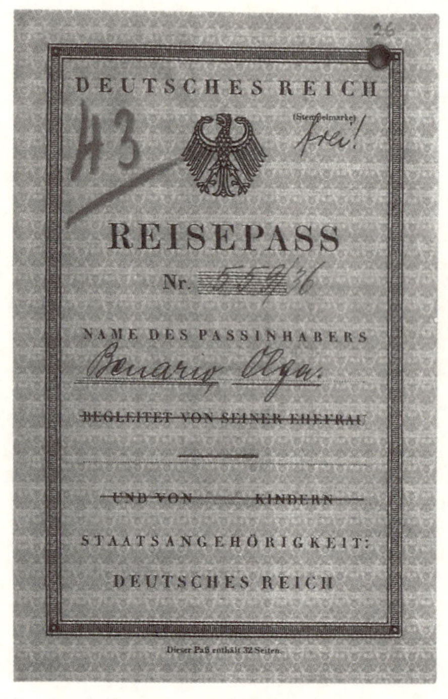

DEUTSCHES REICH

(Stempelmarke)

frei!

REISEPASS

Nr. 559/36

NAME DES PASSINHABERS

Benario Olga.

~~BEGLEITET VON SEINER EHEFRAU~~

~~UND VON KINDERN~~

STAATSANGEHÖRIGKEIT:

DEUTSCHES REICH

Dieser Paß enthält 32 Seiten.

Arquivo da Gestapo, pasta 164, doc. 31.

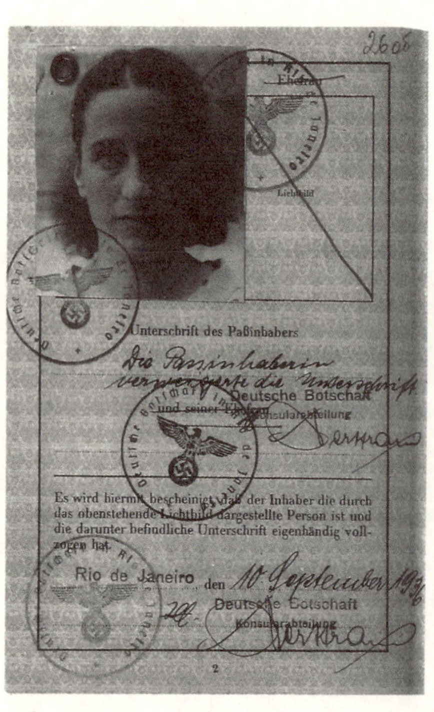

~~Ehefrau~~

Lichtbild

Unterschrift des Paßinhabers

Die Passinhaberin verweigerte die Unterschrift

Deutsche Botschaft
Konsularabteilung

Es wird hiermit bescheinigt, daß der Inhaber die durch das obenstehende Lichtbild dargestellte Person ist und die darunter befindliche Unterschrift eigenhändig vollzogen hat.

Rio de Janeiro, den 10. September 1936

Deutsche Botschaft
Konsularabteilung

2

O texto escrito à mão diz "Portadora do passaporte recusou-se a assinar".

Arquivo da Gestapo, pasta 164, doc. 32.

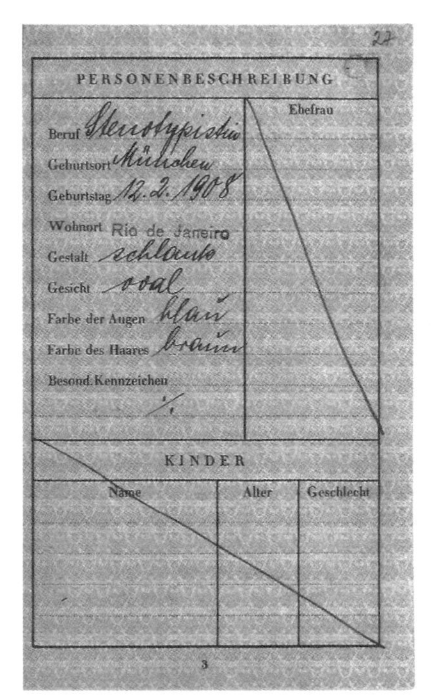

PERSONENBESCHREIBUNG

Ehefrau

Beruf Stenotypistin

Geburtsort München

Geburtstag 12.2.1908

Wohnort Rio de Janeiro

Gestalt schlank

Gesicht oval

Farbe der Augen blau

Farbe des Haares braun

Besond. Kennzeichen ./.

KINDER

Name	Alter	Geschlecht

3

Arquivo da Gestapo, pasta 164, doc. 33.

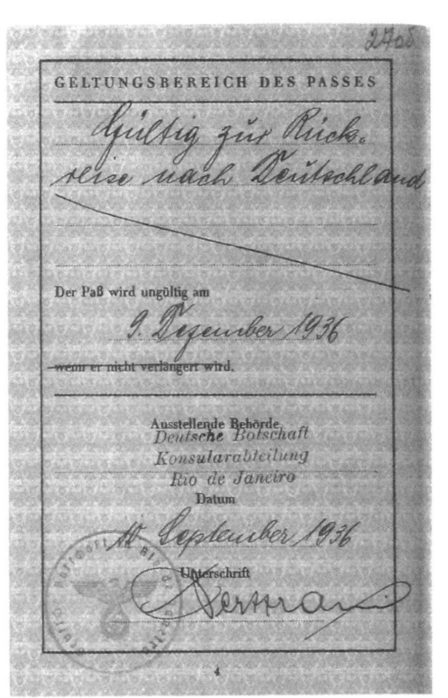

GELTUNGSBEREICH DES PASSES

Gültig zur Rückreise nach Deutschland

Der Paß wird ungültig am

9. Dezember 1936

~~wenn er nicht verlängert wird.~~

Ausstellende Behörde

Deutsche Botschaft

Konsularabteilung

Rio de Janeiro

Datum

11. September 1936

Unterschrift

4

Arquivo da Gestapo, pasta 164, doc. 34.

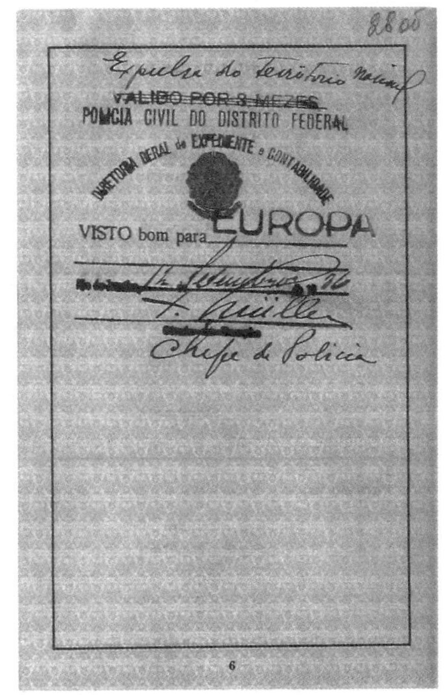

Expulsa do território nacional

~~VALIDO POR 3 MEZES~~

POLICIA CIVIL DO DISTRITO FEDERAL

DIRETORIA GERAL de EXPEDIENTE e CONTABILIDADE

VISTO bom para EUROPA

12 Setembro 36

F. Müller

Chefe de Policia

6

À mão, escreveu-se: "Expulsa do território nacional. Em 12 de setembro de 1936

F. Müller (Chefe de Polícia)"

Arquivo da Gestapo, pasta 164, doc. 36.

Anexo III

Documentação da polícia da França referente a Erma Kruger[1] (Olga Benario), de 1931, enviada à polícia brasileira

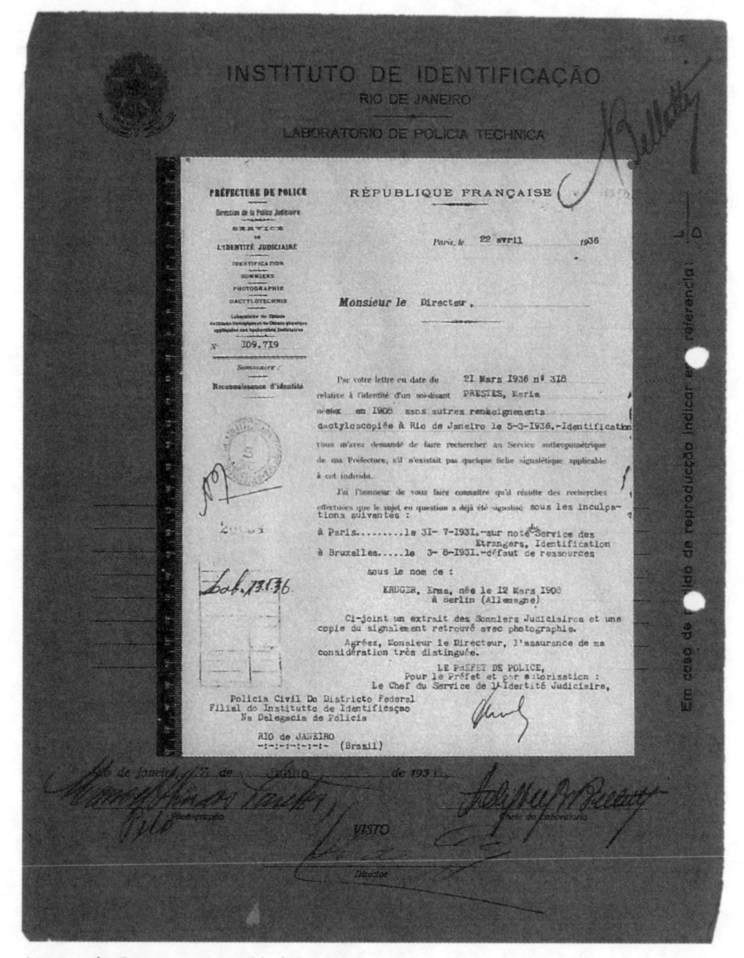
INSTITUTO DE IDENTIFICAÇÃO
RIO DE JANEIRO
LABORATORIO DE POLICIA TECHNICA

PRÉFECTURE DE POLICE
Direction de la Police Judiciaire
SERVICE DE L'IDENTITÉ JUDICIAIRE
IDENTIFICATION
SOMMIERS
PHOTOGRAPHIE
DACTYLOTECHNIE

N° 109.719

Sommaire :
Reconnaissance d'identité

RÉPUBLIQUE FRANÇAISE

Paris, le 22 avril 1936

Monsieur le Directeur,

Par votre lettre en date du 21 Mars 1936 n° 318 relative à l'identité d'un soi-disant PRESTES, Maria née en 1908 sans autres renseignements dactyloscopiée à Rio de Janeiro le 5-3-1936.-Identification vous m'avez demandé de faire rechercher au Service anthropométrique de ma Préfecture, s'il n'existait pas quelque fiche signalétique applicable à cet individu.

J'ai l'honneur de vous faire connaître qu'il résulte des recherches effectuées que le sujet en question a déjà été signalé sous les inculpations suivantes :

à Paris.........le 31- 7-1931.-sur note du Service des Etrangers, Identification
à Bruxelles.....le 3- 8-1931.-défaut de ressources

sous le nom de :

KRUGER, Erma, née le 12 Mars 1908 à Berlin (Allemagne)

Ci-joint un extrait des Sommiers Judiciaires et une copie du signalement retrouvé avec photographie.

Agréez, Monsieur le Directeur, l'assurance de ma considération très distinguée.

LE PRÉFET DE POLICE,
Pour le Préfet et par autorisation :
Le Chef du Service de l'Identité Judiciaire,

Policia Civil Do Districto Federal
Filial do Institutto de Identificaçao
Na Delegacia de Policia
RIO de JANEIRO
(Brasil)

Photographo
Chefe do Laboratorio
VISTO
Director

Arquivo da Gestapo, pasta 164, doc. 227.

[1] Erma Kruger foi o nome adotado por Olga Benario durante suas atividades clandestinas na França e na Bélgica no ano de 1931. A polícia da França localizou sua ficha por meio da foto e das impressões digitais de "Maria Prestes", enviadas pela polícia brasileira.

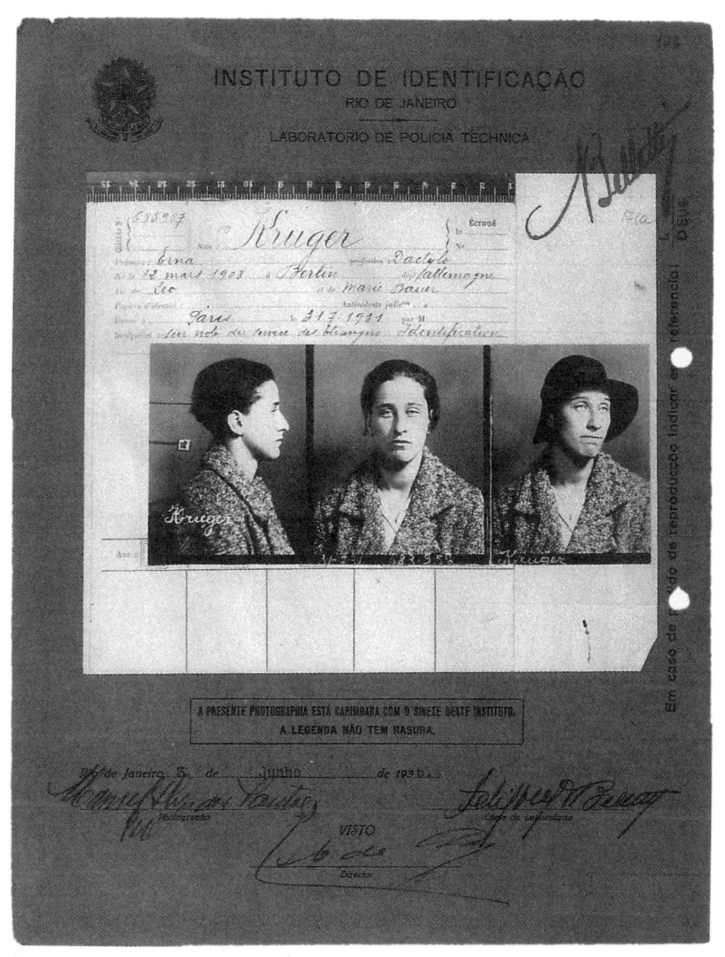

INSTITUTO DE IDENTIFICAÇÃO

RIO DE JANEIRO

LABORATORIO DE POLICIA TECHNICA

Nom: Kruger

Prénoms: Erna — profession: Dactylo

Né le 12 mars 1908 à Berlin — dép. Allemagne

Fils de Leo et de Marie Bauer

Papiers d'identité: — Antécédents judiciaires:

Écroué

Paris le 31.7.1931

Kruger

A PRESENTE PHOTOGRAPHIA ESTÁ CARIMBADA COM O SINETE DESTE INSTITUTO.
A LEGENDA NÃO TEM RASURA.

Rio de Janeiro, 3 de Junho de 193

Photographo

Chefe do Laboratorio

VISTO

Director

Arquivo da Gestapo, pasta 164, doc. 229.

Arquivo da Gestapo, pasta 164, doc. 235.

Arquivo da Gestapo, pasta 164, doc. 236.

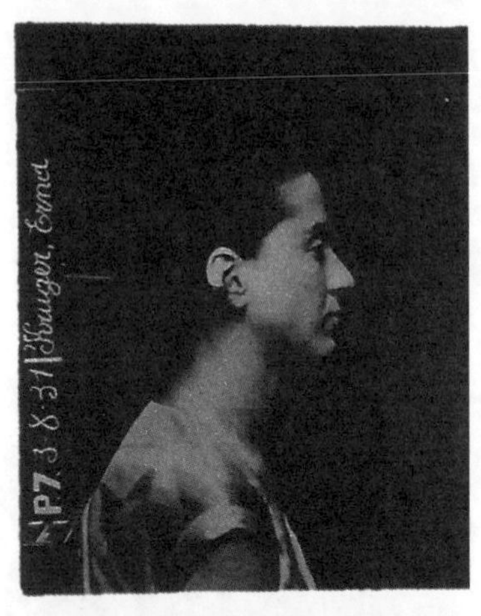

Arquivo da Gestapo, pasta 164, doc. 237.

Arquivo da Gestapo, pasta 164, doc. 239.

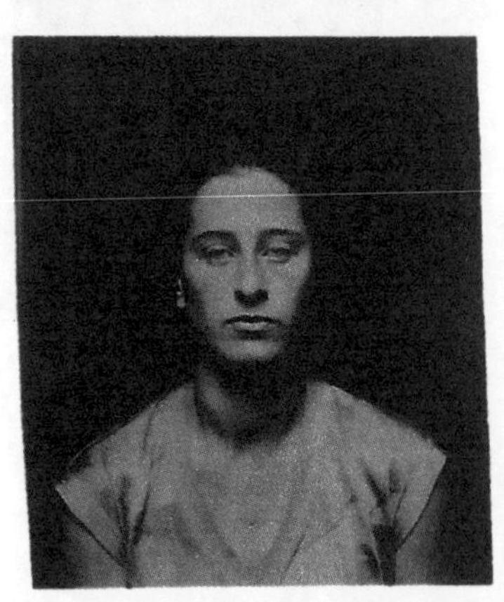

Arquivo da Gestapo, pasta 164, doc. 241.

Anexo IV

Original da primeira carta de Olga Benario Prestes a Luiz Carlos Prestes, escrita em francês – Berlim, 17 de dezembro de 1936

Berlin, 17. 12. 1936. 10

Sr.
Luiz Carlos Prestes
Rio de Janeiro
Policia Especiale

Carlos, mon cheri!

J'éspère que tu as reçu mon telegramme, dans lequel je t'informais de la naissance de notre petite fille. – Alors le 27 de novembre à 10 hrs 15 min. elle fût née. Elle avait un poid de 3.800 kg et est bien de santé. Tu sais, la petite a des cheveux tout noir et tellement compris, qu'il faut la coiffé chaque fois. Ses yeux sont bleu (et je voulais tant qu'ils soient comme les tiens!!) comme nome je l'ai donnée: Anita Leocadia. – Moi même, j'ai passée un temps bien mauvais avec la naissance. La petite m'a delirée et un medecin me devait faire des coutures. Ensuite j'ai passée plus qu'une semaine avec temperature (chaque soir au-dessu de 39°) et même maintenant déjà 3 semaines après la naissance je dois encore rester couchée. –

En general, je voudrais, que tu connais la situation. Dès mon arrivée en Allemagne je me rencontre dans l'infermerie d'une prison. En tant que je nourri la petite, elle peut rester avec moi. Mais après – je ne sais pas; et tu comprends, que ça me brise le coeur, quand je pense au future de notre petite. – Quel bonheure nous aurions, si nous trois serons ensemble! Tu devrais voir, comment c'est gentil, quand la petite avec ses grands yeux ouverts, boire dans mes bras. C'est un sentiment tout [illegible] moi. – Tu comprends bi[illegible]

Akt. 2428/36 – II 1 A 1

Berlin SW 11
Prinz Albrechtstr. 8

Arquivo da Gestapo, pasta 167, doc. 13-4.

Anexo V

Original de carta de Luiz Carlos Prestes para Olga Benario, escrita em alemão – Rio de Janeiro, 1º de julho de 1940

Rio, 1.[illegible]-40

Meine geliebte Olga

Leider habe ich seit Deinem Billett vom 11.III keinerlei Nachricht mehr von Dir. Was ist zu tun? In den gegenwärtigen Umständen soll das uns nicht zu erstaunen, nicht wahr? Und Du, meine Liebe, hast Du meine Billette erhalten? Ständig bitte ich Dir dass Du mir gerade mit [illegible] Luftpost schickst, weil die Seepost von Europa nach Mexico gegenwärtigen fast unmöglich ist. Würdest Du nicht dürfen, zum wenigsten, den Empfang dieser Zeilen zu bescheinigen? Mit unendlicher Angst u. Sorgen im Herzen denke ich an Deiner Lage, wie Du vor allem physisch diesen Dauerzustand der Entbehrungen erträgst.

Glücklich sind gut die Nachrichten unserer Lieben. Unsere Anita ist stark, immer mehr u. mehr [illegible] u. kühn. Ich habe hier eine Photographie vom 30.V, welche mich sehr bezaubert hat. Deine Tochter ist so gross, so verschieden Deines kleinen Baby dass Du wirklich jetzt vorziehen wirst das man sie von Deiner kleiner jüngsteren Schwester [illegible].

116

Was mich anlangt, ich bin immer in der selbst Lage u. habe nichts merkwürdig Dir zu erzählen. Glücklich habe ich die Möglichkeit gehabt nach der Presse die grossen Ereignisse dieser Augenblick zu folgen. Über unendlich viele Dinge wollte ich mit Dir sprechen, es ist aber seltsam hier schreiben.

Hast Du nicht die Briefe der Schwestern erhalten? Bis April hatten sie schon zwei Briefe Dir geschrieben.

Im Geist halte ich Deine Hände und denke voll Liebe und Zärtlichkeit immer an Dich.

Es küsst Dich Dein

Carlos

P.S. – Beiliegt schicke ich Dir eine neue Photographie, welche ich soeben erhalten habe. Schau auf das Knie. Die andere ist eine kleine mexicanische Freundin – Doña Raquelita. Cuernavaca ist eine Stadt nahebei Mexico-City wo unsere Liebe 15 Tage in Mai [illegible] sind gewesen. — Carlos —

Adresse: Rio de Janeiro – Brasil
Mit Luftpost – via Roma (Italien)
Casa de Correção – Rua Frei Caneca
Luiz Carlos Prestes –

Arquivo da Gestapo, pasta 170, doc. 121-2.

Cronologia da vida de Olga Benario Prestes

12/2/1908 – Olga nasce em Munique, na Alemanha, filha de Leo Benario e Eugenie Gutmann Benario.

1923 – Olga ingressa no Grupo Schwabing da Juventude Comunista em Munique, trabalha como vendedora na livraria Georg Müller e conhece o professor comunista Otto Braun, que se torna seu namorado. Otto e Olga viajam para Berlim e passam a militar na Juventude Comunista no bairro operário de Neukölln.

1924 – Olga é aceita no Partido Comunista da Alemanha (KPD) e passa a trabalhar como datilógrafa na Representação Comercial Soviética.

1926 – Olga e Otto são presos; ela é libertada após dois meses de detenção, enquanto ele permanece na prisão de Moabit, acusado de "alta traição à pátria".

11/4/1928 – À frente de um grupo de jovens comunistas, Olga liberta Otto da prisão de Moabit. Os dois têm suas cabeças postas a prêmio pela promotoria de Justiça da Alemanha. Intensamente procurado pela polícia, o casal de jovens foge para a União Soviética.

1928 – Em Moscou, Olga é eleita para o Comitê Central da Juventude Comunista Internacional. Ingressa em cursos paramilitares e aprofunda seus conhecimentos teóricos de marxismo-leninismo.

1931 – Olga separa-se de Otto e viaja com documentos falsos à França, em missão da Juventude Comunista Internacional, onde é detida. Colocada em liberdade, semanas depois é presa novamente e deixada pela polícia na fronteira com a Bélgica, de onde parte para Londres. Na capital britânica, ao participar de uma manifestação, é presa e fichada pelo Inteligence Service – serviço secreto inglês. De regresso a Moscou, recebe a notícia de que fora aclamada no V Congresso da Juventude Comunista Internacional membro do seu Presidium. Pela atividade desenvolvida, Olga é premiada pelo Comintern (Internacional Comunista) com sua escolha para fazer o curso de paraquedismo e pilotagem de aviões na Academia Zhukovski da Força Aérea, sediada em Moscou.

Dezembro/1934 – Dmitri Manuilski, dirigente do Comintern, convida Olga a acompanhar Luiz Carlos Prestes em sua viagem de Moscou ao Brasil e cuidar da sua segurança, pois o "Cavaleiro da Esperança" poderia ser preso ao voltar ao seu país.

29/12/1934 – Olga e Prestes, com passaportes falsos, deixam Moscou em direção ao Brasil, simulando um casal em lua de mel.

Abril/1935 – Após longa viagem pela Europa ocidental, Estados Unidos e América Latina – em que se apaixonam e se tornam marido e mulher de verdade –, Olga e Prestes chegam ao Brasil e fixam residência no Rio de Janeiro. Ele havia sido aclamado presidente de honra da Aliança Nacional Libertadora (ANL), ampla frente democrática de luta contra o fascismo e o integralismo. Prestes atua na clandestinidade, assessorado por Olga, que lhe serve de estafeta e zela por sua segurança.

11/7/1935 – A ANL é proibida pelo governo de Getúlio Vargas e passa a atuar na clandestinidade. Intensifica-se a repressão policial contra os "aliancistas" e os comunistas.

27/11/1935 – Sob a direção geral de Prestes, acontece o levante antifascista no Rio de Janeiro, que é esmagado pelas forças repressoras.

5/3/1936 – Olga e Prestes são presos pela polícia de Filinto Müller e separados para nunca mais se verem.

17/6/1936 – O pedido de *habeas corpus* para Olga, impetrado pelo advogado Heitor Lima, é rejeitado pelos juízes do Supremo Tribunal Federal.

23/9/1936 – Embora, estando grávida, tivesse direito a permanecer no Brasil, Olga é conduzida à força até o navio cargueiro alemão *La Coruña* e extraditada, junto com a comunista alemã Elise Ewert, para a Alemanha nazista pelo governo de Getúlio Vargas.

18/10/1936 – As duas prisioneiras chegam a Hamburgo, de onde, submetidas a rigoroso esquema de segurança, são imediatamente conduzidas a Berlim.

27/11/1936 – Detida, incomunicável, na prisão berlinense de Barnimstrasse, Olga dá à luz sua filha, Anita Leocadia.

21/1/1938 – Anita Leocadia é separada de Olga, sem que esta fosse informada do destino da filha, e entregue à avó paterna, Leocadia Prestes, que vinha liderando campanha internacional pela libertação da neta e da nora.

18/2/1938 – Olga é transferida para o campo de concentração de Lichtenburg, em que fica submetida a condições muito mais penosas do que na prisão de Berlim.

Maio/1939 – Olga é transferida para o recém-criado campo de concentração feminino de Ravensbrück.

Agosto/1939 – Olga é conduzida à sede da Gestapo, em Berlim, para longo interrogatório, em que, mais uma vez, se recusa a informar a polícia sobre suas atividades comunistas.

Abril/1942 –Juntamente com outras prisioneiras, Olga é assassinada numa câmara de gás no campo de concentração de Bernburg.

Julho/1945 – Prestes recebe a notícia do assassinato de Olga.

Índice onomástico*

* Os algarismos romanos referem-se ao caderno de fotos, indicando, portanto, a ocorrência de determinado nome nas legendas. (N. E.)

Sobre a autora

Anita Leocadia Prestes nasceu em 27 de novembro de 1936 na prisão de mulheres de Barnimstrasse, em Berlim, na Alemanha nazista, filha dos revolucionários comunistas Luiz Carlos Prestes, brasileiro, e Olga Benario Prestes, alemã. Afastada da mãe aos quatorze meses de idade, antes de vir para o Brasil, em outubro de 1945, viveu exilada na França e no México, com a avó paterna, Leocadia Prestes, e a tia Lygia. Em 1964, graduou-se em Química Industrial pela Escola Nacional de Química da antiga Universidade do Brasil, atual Universidade Federal do Rio de Janeiro (UFRJ). Em 1966, obteve o título de mestre em Química Orgânica. Devido à atuação clandestina nas fileiras do Partido Comunista Brasileiro (PCB), foi perseguida pelo regime militar instalado no país a partir de 1964, levando a que, no início de 1973, se exilasse na extinta União das Repúblicas Socialistas Soviéticas (URSS). Julgada à revelia em julho de 1973, foi condenada à pena de quatro anos e seis meses pelo Conselho Permanente de Justiça para o Exército brasileiro. Em dezembro de 1975, Anita Prestes recebeu o título de doutora em Economia e Filosofia pelo Instituto de Ciências Sociais de Moscou. Em setembro de 1979, com base na primeira Lei de Anistia no Brasil, a Justiça brasileira extinguiu a sentença que a condenou à prisão. Em seguida, Anita voltou ao Brasil. Desde 1958, até o falecimento de Prestes em 1990, atuou politicamente ao lado do pai tornando-se sua assessora. Autora de vasta obra sobre a atuação política de Prestes e a história do comunismo no Brasil, é doutora em História Social pela Universidade Federal Fluminense, professora do Programa de Pós-Graduação em História Comparada da UFRJ e presidente do Instituto Luiz Carlos Prestes, <www.ilcp.org.br>.

Selo da série em homenagem às vítimas do campo de concentração de Ravensbrück, produzido na República Democrática Alemã em 1959.

Publicado em abril de 2017, quando se completaram 75 anos do assassinato de Olga Benario Prestes, este livro foi composto em Adobe Garamond Pro, corpo 10,5/12, e reimpresso em papel Avena 80 g/m² pela gráfica Rettec, para a Boitempo, em junho de 2022, com tiragem de 1.500 exemplares.